In gleicher Reihe erschienen ...

ISBN 978-3-88472-801-7

Glas für Glas, Löffel für Löffel – Freunde und Gäste werden von Ihren Kochkünsten begeistert sein! 100 Köstlichkeiten, raffiniert im Glas serviert.

ISBN 978-3-88472-975-5

Crostini, Bruschetta, Tramezzini, Bagels, Pita, und Toast Hawaii – da kann keiner widerstehen! 100 Rezepte – heiß, kalt, rustikal, stilvoll elegant!

ISBN 978-3-86244-029-0

Freuen Sie sich auf 70 berühmte Klassiker und neue Trendrezepte für jeden Anlass rund um den Salat – anmachen erlaubt!

ISBN 978-3-86244-072-6

Mit wenigen Handgriffen zaubern Sie köstliche Suppenkreationen und lernen klassische Suppen mit raffinierten Extras zu verfeinern.

ISBN 978-3-88472-712-6

Tartes, Quiches, Pizzas, Pies & Co. sind ideal für Picknicks und Cocktailpartys oder auch ein großes Buffet.

ISBN 978-3-86244-066-5

Unverzichtbare Klassiker sowie raffiniert-neue Tartes-Kreationen für jede Gelegenheit und für jeden Geschmack kinderleicht selbst zubereiten.

CHRISTIAN
www.christian-verlag.de

N/O

P

Q/R

S

T

W/Z

Vorwort

Von der Hand in den Mund: Fingerfood ist voll im Trend. Weil die kleinen Gerichte wunderbar schmecken, sich gut vorbereiten und so einfach essen lassen! Sie sind ideal für den Empfang im Büro, zur Cocktailparty oder als festliches Büfett, und *die Vielfalt* an Miniaturgerichten *ist riesig*: Die Palette reicht von Fleischspießen, Gemüseröllchen und Fischhäppchen bis zu Sandwiches, Wraps und Minigebäck. Auch in Gläsern oder Löffeln lassen sich viele Snacks stilvoll servieren.

Besonders beliebt ist Fingerfood, *wenn Gäste kommen*: Dann serviert man den Freunden zum Picknick Tomaten-Pfirsich-Salat in der Tomate, präsentiert Leberparfait mit Thymiangelee für ein festliches Büfett oder reicht Rührei im Teigkörbchen zum Brunch. Auch vegetarische Snacks, wie feine Auberginenschnitzel, passen zu (fast) jeder Gelegenheit. Und für das süße Finale kommen verführerische Kleinigkeiten wie Profiteroles oder Eiskonfekt auf den Tisch – da kann keiner widerstehen!

Viel Spaß beim Nachkochen!

Fingerfood: klein – fein – einfach gut!

Die kleinen Häppchen in unendlich vielen Variationen sind unschlagbar für die Gästebewirtung. Ob Brunch oder Picknick, Stehempfang oder Cocktailparty – die Snacks sind mit ein, zwei Bissen im Mund verschwunden und machen Appetit auf mehr.

Fingerfood ist nicht nur praktisch, sondern für jeden Anlass passend! Ob Sie nur eine Variation zum Aperitif anbieten oder mehrere Köstlichkeiten fantasievoll miteinander auf dem Büfett kombinieren – die kleinen Snacks sind eine Freude für jeden Gast und auch für die Gastgeber, denn sie lassen sich super vorbereiten.

Sie sind eben klein, fein, einfach gut. Fingerfood kommt überall an! Kein Wunder, denn die mundgerechten Leckereien haben für jeden Geschmack und zu jeder Gelegenheit und Tageszeit etwas zu bieten. Pikant oder süß, knusprig oder cremig, zum Löffeln oder Dippen, klassisch oder ausgefallen.

Bei so viel Auswahl greift jeder gerne immer wieder zu und lässt sich knusprige Pilz-Tartelettes, cremige Rucolamousse oder originelle Spieße auf Zitronengras oder Rosmarinzweigen schmecken. Gemüsefans greifen zu Tomaten mit Kräuter-Frischkäse-Füllung, Liebhaber von Herzhaftem zu Tafelspitzsülzen mit Meerrettich, und wer sich nach Urlaub sehnt, der träumt bei Garnelenspießen vom Meer. Leckere Salate, feine Süppchen und raffinierte Desserts in trendigen Serviergläschen runden das große Angebot der kleinen Leckereien ab. Eines ist sicher: Die Partyhäppchen zieren jedes Büfett, bieten für jeden Geschmack etwas und machen mächtig Eindruck.

Fingerfood ist auch kommunikativ, weil es einfach in einer Serviette oder einem Glas herumgetragen wird, so kann man unbeschwert mit Freunden plaudern oder neue Kontakte knüpfen. Dabei sorgt alleine das Essen schon für reichlich Gesprächsstoff.

Es gibt keinen Stress für die Gastgeber und keine festgelegte Tischordnung, sondern alle genießen ein zwangloses Miteinander. Die kleinen Häppchen sind so zubereitet und angerichtet, dass Sie – außer den Fingern natürlich – nur eine Serviette, manchmal einen kleinen Löffel oder eine Gabel benötigen.

In Portionslöffeln, kleinen Schälchen oder auf Servierplatten liebevoll arrangiert, lädt Fingerfood immer wieder zum Probieren ein. Daher sollte eine gewisse Auswahl für die Gäste zur Verfügung stehen. Ich empfehle als Appetizer oder für einen Umtrunk im Büro sechs bis acht Snacks pro Person. Möchten Sie Ihre Gäste über einen ganzen Abend hinweg verköstigen, planen Sie acht bis zwölf Stück für jeden Gast ein, damit niemand hungrig die Party verlassen muss.

Fingerfood-Know-how

Die Vielfalt von Fingerfood reicht von herzhaft bis süß, von warm bis kalt, es kann vegetarisch sein oder mit Fisch oder Fleisch, es gibt deftiges Fingerfood ebenso wie edles. Auch zu jedem Motto findet sich eine große Auswahl an tollen Rezepten: Ob italienischer Abend oder asiatisches Büfett, lässiges Sommerfest oder festliche Cocktailparty – Fingerfood kann einfach alles.

Nachdem Sie die Rezepte ausgewählt haben, mit denen Sie Ihre Gäste verwöhnen möchten, sollten Sie am besten anhand einer Einkaufsliste planen, wann und wo Sie welche Zutaten besorgen – frische Produkte kaufe ich beispielsweise am Tag der Zubereitung, haltbare gerne schon vorher. Was generell für Essen gilt, trifft auf Fingerfood natürlich auch zu: Alles ist nur so gut wie die Zutaten, die dafür verwendet werden. Achten Sie auf Frische und Qualität. Ware aus der Region ist in der Regel frischer und besser als alles, was von weit her kommt. Bei exotischen Zutaten empfehle ich Flugware, also Früchte, die vollreif geerntet per Flugzeug zu uns kommen. Die sind zwar teurer als unreif geerntetes Obst, das im Supermarkt angeboten wird, stecken dafür aber voller Aroma.

Gehen Sie beim Anrichten mit Saucen und Dips auf den Häppchen sparsam um, damit unschöne Kleckereien vermieden werden. Bei den meisten Rezepten ist es ohnehin ratsam, die Extras in kleinen Gläsern oder Schälchen separat zu servieren.

Manche Snacks werden an kleinen Spießen aus Holz oder Plastik oder auf Zitronengrasstängeln oder Rosmarinzweigen aufgespießt – äußerst dekorativ! Wer häufig Gäste bewirtet und Fingerfood anbietet, hat sicher die entsprechenden Spießchen, Schälchen, Servierlöffel und Gläser parat, ansonsten werden Sie in Küchenfachgeschäften oder den entsprechenden Abteilungen der Warenhäuser fündig. Wenn Sie eine große Anzahl von Speisen im Glas zaubern möchten, aber nicht genügend Gläser besitzen, verwenden Sie auch kleine Marmeladen- und Senfgläser. Oder Sie leihen sich welche von Freunden und erfreuen Ihre Gäste mit einer Vielfalt an Farben und Formen. Natürlich finden Sie auch im Handel problemlos hübsche kleine Gläser in verschiedenen Formen, die für wenig Geld ihren Zweck erfüllen.

Zum Zuschneiden von Teig oder Brot sind Ausstecher nützlich, die es ebenfalls im Küchenfachgeschäft oder Warenhaus gibt. Sie können aber auch ganz einfach ein umgedrehtes Glas mit entsprechendem Durchmesser verwenden, das Sie unter vorsichtigem Drehen auf den Teig oder die Brotscheibe drücken und so Kreise ausstechen.

Um ein Fingerfood-Büfett ohne viel Aufwand noch üppiger aussehen zu lassen, platzieren Sie zwischenrein kleine Platten mit einfachen Naschereien am Spieß: zum Beispiel Käse und Trauben, Melonenwürfel mit Schinken oder Minimozzarella mit Kirschtomaten. Wenn Sie unsicher sind, ob das vorbereitete Fingerfood auch wirklich ausreicht, sollten Sie die Zutaten für diese schnellen Snacks im Kühlschrank haben. So können Sie blitzschnell 20 Häppchen nachlegen. Total unkompliziert, aber immer ein Blickfang sind Erdbeeren oder anderes Obst, das zur Hälfte in weiße oder dunkle Schokolade getaucht wurde.

Wenn Sie genügend Platz haben, empfiehlt es sich, einen Tisch – etwas weiter weg vom Büfett – für gebrauchte Gläser, Servierlöffel und Besteck bereitzustellen. Sonst finden Sie später allerlei Zubehör im Bücherregal wieder.

Stressfrei vorbereiten – die Planung ist wichtig

Damit der besondere Tag auch kulinarisch ein voller Erfolg wird, ist gute Planung das A und O. Mit den folgenden Tipps können Sie Ihrer Fingerfood-Party souverän und als entspannte Gastgeber entgegensehen.

Vorüberlegungen

Überlegen Sie zuerst, zu welchem Anlass Sie die Party geben, gibt es vielleicht ein Motto? Soll es ungezwungen oder eher festlich zugehen? Wenn Sie einen Umtrunk im Büro planen, sollten sich die Gerichte möglichst am Vorabend vorbereiten lassen, außerdem müssen sie gut zu transportieren sein. Welche Speisen und Getränke möchten Sie anbieten? Was passt gut zusammen? Gibt es Vegetarier im Freundeskreis? Oder Unverträglichkeiten gegenüber bestimmten Lebensmitteln? Wenn Sie längerfristig planen, ist es am besten nachzufragen, damit es später keine Enttäuschungen gibt. Suchen Sie dann die passenden Rezepte aus. Lassen Sie sich auch von der jeweiligen Jahreszeit inspirieren. Saisonale Zutaten sind überall erhältlich, in der Regel geschmacklich besser und zudem preiswerter.

Rezeptauswahl

Gestalten Sie das Speisenangebot so, dass für jeden Gast etwas dabei ist. Entscheidend fürs Gelingen Ihrer Party ist natürlich auch die Vielfalt und Präsentation der Speisen. Achten Sie bei den Zutaten und Zubereitungen auf Abwechslung und Spannung und vermeiden Sie Wiederholungen. Kaum jemand möchte den ganzen Abend ausschließlich Häppchen mit Fisch essen oder Gerichte aus dem Glas löffeln. Das Büfett sollte eine bunte Mischung aus ganz unterschiedlichen Snacks bieten. Dazu gehören natürlich Gerichte mit Fleisch und Fisch, außerdem zwei bis drei vegetarische Häppchen. Servieren Sie zwei bis drei verschiedene Spieße – und ein bis zwei Löffelgerichte. Eine feine Suppe und zwei leckere Desserts runden das Büfett ab.

Vorbereitung

Lesen Sie die ausgewählten Rezepte durch und filtern Sie die Tätigkeiten heraus, die sich schon am Tag vor dem Fest vorbereiten lassen. Die meisten Suppen und Desserts können am Vortag gemacht werden. Danach gehen Sie die anderen Arbeitsschritte durch und planen, womit Sie am Tag der Party wann anfangen, damit alles rechtzeitig und völlig stressfrei auf dem Büfett steht. Alles, was Sie im Vorfeld der Party zubereiten können, ist ein Zeitgeschenk für den Tag, an dem Ihre Gäste kommen. Es ist hilfreich, sich eine Checkliste zu schreiben und die bereits erledigten Vorbereitungen dort abzuhaken.

Wenn Sie eine richtig große Runde bewirten wollen, ist es praktisch, sich Stehtische auszuleihen. Fragen Sie im Freundeskreis nach, ansonsten gibt es Cateringfirmen, die so ziemlich alles Notwendige – natürlich gegen Gebühr – für Ihre Party verleihen. Stellen Sie Servietten, Gabeln, Löffel und Gläser parat. Und sorgen Sie dafür, dass Sie vor dem Eintreffen der Gäste noch mindestens eine halbe Stunde Zeit haben, um zu verschnaufen und sich frisch zu machen.

Praktische Küchenhelfer

Zum Aufbacken

Toasties (hinten) gibt's abgepackt im Supermarkt, sie müssen im Toaster nur kurz aufgebacken werden. Saftig gefüllt sind sie ein schneller Snack fürs Picknick oder unterwegs. Die *Tortillafladen* (vorne) finden Sie im Spezialitätenregal im Supermarkt. Nur kurz im Ofen oder in der Pfanne aufbacken, füllen und aufrollen, so entstehen hinreißende Wraps.

Zum Füllen

Taccoshells (hinten) und *Mürbeteigtartelettes* sind ideal für pikante Füllungen, beide gibt's in jedem größeren Supermarkt. Die *Mini-Konfitüren-Tartes* sind mit süßer Creme oder Obst gefüllt eine feine Leckerei.

Zum Backen

Ideal für Pizza und Gemüsekuchen: die *Hefeteigrolle* (links hinten) aus dem Kühlregal ist fix und fertig auf Backpapier aufgerollt. Auch andere Teige gibt es in dieser Form zu kaufen.
Der *tiefgekühlte Blätterteig* (vorne) ist in Platten geschnitten und muss nach dem Auftauen nur noch in die gewünschte Form gebracht werden.
Filoteig oder *Yufkateig* aus dem griechischen oder türkischen Supermarkt (rechts) ist hauchdünn, ebenfalls bereits in Blätter geschnitten und eignet sich für Frühlingsrollen und andere knusprige Teigtaschen.

Fingerfood hübsch angerichtet

Förmchen

Papiermanschetten in verschiedenen Größen sind ideal zum Anrichten von Eiskonfekt und Muffins. Es gibt sie auch in vielen fröhlichen Farben.
In kleinen *Schälchen* aus Porzellan lassen sich warme, kalte, süße oder herzhafte Snacks bestens servieren.

Gläser

Essen aus Gläsern liegt voll im Trend, weil es einfach besonders gut aussieht. Ob auf dem Büfett oder gut verschlossen zum Mitnehmen – sie eignen sich zu jeder Gelegenheit.

Löffel

Die Servierlöffel oder -schälchen gibt es aus Porzellan, Edelstahl oder Keramik.

Spieße

Verschiedene Spieße für vielseitiges Fingerfood: vom einfachen Zahnstocher bis zum hippen Muschelspieß – erlaubt ist, was gefällt und zu den Speisen passt!

Die perfekte Präsentation

Wer oft und gerne Gäste bewirtet, weiß, dass diese sich nicht nur über einen Umtrunk und das Essen freuen, sondern auch über eine gelungene Inszenierung. Daher gewinnt das kunstvolle Anrichten von Speisen immer größere Bedeutung.

Wenn Sie sich für ein Partymotto entschieden haben, sollten Sie dafür sorgen, dass es sich wie ein roter Faden von der Einladung über die Dekoration bis hin zur Auswahl der Gerichte, dem Anrichten der Speisen sowie der Auswahl der Getränke zieht. Auf diese Weise wird der Sonntagsbrunch, die edle Cocktailparty oder auch ein lässiges Picknick im Grünen zu einem ganz besonderen Event.

Je ordentlicher und sauberer Ihnen das Anrichten der Gerichte gelingt, desto appetitlicher wirken sie. Setzen Sie die Snacks in Reihen auf eine Platte und mischen Sie ruhig einmal zwei bis drei Sorten miteinander.

Wenn Sie hauptsächlich Spieße, Gerichte im Glas oder in Servierlöffeln anbieten, benötigen Ihre Gäste auch Ablagemöglichkeiten für gebrauchte Gläser, Schalen, Löffel und Spieße.

Besonders gut kommen die Häppchen zur Geltung, wenn sie auf Bananen- oder Weinblättern angerichtet werden. Reiben Sie diese vorher mit Speiseöl ein, so bringen Sie Ihr Büfett richtig zum Glänzen.

Lassen Sie auf Platten immer etwas Platz und vermeiden Sie kunstvolle Arrangements, an die sich niemand herantraut.

Ein Büfett bedeutet auch immer Selbstbedienung, da sollten die Häppchen und Gläser so arrangiert sein, dass sie für jeden Gast gut erreichbar sind. Beachten Sie beim Aufbau des Büfetts auch die Laufrichtung: Es ist sinnvoll, den Gästefluss in eine Richtung – meist ist das von rechts nach links – zu leiten. Desserts, Servietten und Brot platzieren Sie am Ende des Büfetts.

Verwenden Sie auch natürliche Zutaten zum Servieren: Höhlen Sie beispielsweise Minigemüse wie Paprikaschoten, Gurken oder Tomaten aus und füllen Sie sie mit Salaten, Dips oder Ähnlichem. Das sieht toll aus und vermeidet unnötigen Abwasch.

Stellen Sie Servietten und Fingerschalen mit warmem Wasser und Zitronenscheiben bereit, damit sich Ihre Gäste zwischen den einzelnen Häppchen die Finger säubern können.

Überlassen Sie kein Detail dem Zufall, damit auch wirklich nichts schiefgeht. Welche Farbe soll dominieren? Tischdecken, Servietten, Kerzen und Blumenarrangements sollten darauf abgestimmt werden.

Begeistern Sie Ihre Gäste mit einem mehrgängigen Fingerfood-Spektakel. Originelle Köstlichkeiten – fantasievoll angerichtet – gesellen sich zu außergewöhnlichen Dekorationen und bereiten eine Atmosphäre, die Ihr Fest zu einem ganz besonderen Erlebnis werden lassen.

Getränke – was passt wozu?

Die Zeiten der strengen Regeln bei der Wahl der Weine sind heute glücklicherweise vorbei. Trotzdem gibt es einige Aspekte, die Sie bei der Entscheidung berücksichtigen sollten. Die Wahl des Weines ist insofern abhängig von der Art der Gerichte, dass zarte Aromen von einem eher leichten Wein angenehm begleitet werden sollen, während Würziges einen intensiven Geschmack verträgt.

Fisch und Meeresfrüchte genießen Sie am besten mit einem leichten Weißwein (beispielsweise Riesling oder Weiß- oder Grauburgunder).
Zu eher deftigen Snacks mit Fleisch und Gebratenem servieren Sie lieber einen kräftigen Rotwein (zum Beispiel Rioja, Barolo, Bordeaux oder Spätburgunder).

Aber auch Bier zum Essen ist – vor allem in der warmen Jahreszeit – sehr beliebt. Die Wahl der Biersorte richtet sich dabei nicht so sehr nach den Gerichten, sondern nach den persönlichen Vorlieben Ihrer Gäste, die man ja in der Regel kennt oder erfragt. Ich empfehle zu leichten Snacks eher ein Weizenbier oder Export, zu den kräftigeren Gerichten können Sie auch durchaus ein Pils anbieten.

Mit Champagner, Prosecco oder Crémant (französischer Sekt) liegen Sie zu Beginn des Abends auf alle Fälle richtig. Und manche Gäste werden sicher weiterhin Champagner trinken, vor allem zu den feinen und festlichen Häppchen. Servieren Sie Champagner und Co. unbedingt eisgekühlt. Dazu sollten die Flaschen mindestens vier Stunden vorher im Kühlschrank gelagert werden.

Vergessen Sie aber auch die Gäste nicht, die keinen Alkohol trinken oder vertragen: Saftschorlen und nicht zu süße Limonaden passen ebenfalls prima zu den Häppchen. Sprudeliges und stilles Mineralwasser sollten immer bereitstehen.

Wenn Sie zum Brunch einladen, sollten Sie auch Kaffee und Tee anbieten.

Brunch & Lunch

In diesem Kapitel finden Sie *viele Klassiker*, die sich – im Fingerfoodformat zubereitet – einfach aus der Hand essen lassen.

Da gibt es zum Beispiel die Paprikaterrine mit Parmaschinken, knusprige Mini-Wiener-Schnitzel, Hähnchenragout in Blätterteigpastete oder eine wärmende Kartoffel-Waldpilz-Suppe aus dem Glas.

Stellen Sie doch gleich eine kleine Rezeptauswahl zusammen und *laden Sie sich* für nächsten Sonntag *Gäste ein*!

Rührei im Filoteigkörbchen mit Räucherforelle

Pikanter Auftakt zum Brunch, aber auch zur Weinprobe: saftiges Schnittlauchrührei im knusprigen Teigkörbchen.

Zubereitung: 40 Minuten
Für 12 Stück

Zutaten

12 Eier (Größe M)
8 Blätter Filoteig (50 x 35 cm)
150 g Butter
Salz
frisch gemahlener Pfeffer
120 ml Sahne
1 Bund Schnittlauch
30 g Parmesan, frisch gerieben
4 Räucherforellenfilets

- 100 g Butter zerlassen. Den Backofen auf 200 °C vorheizen. Nacheinander vier Blätter Filoteig aufeinanderlegen, dabei jede Lage mit zerlassener Butter bepinseln. Das Teigstück in sechs gleich große Quadrate schneiden. Jede zweite Mulde einer Zwölfer-Muffinform mit etwas zerlassener Butter auspinseln. Die Teigstücke fest hineindrücken, sodass ein Körbchen entsteht, die Ränder stehen dabei weit über die Mulde hinaus.

- Körbchen im heißen Ofen auf der zweiten Schiene von unten in 7–8 Minuten goldbraun backen. Die übrigen vier Teigblätter genauso verarbeiten.

- Die Eier in einer Schüssel mit Salz, Pfeffer und Sahne verquirlen. Schnittlauch waschen, trocken schütteln und in Röllchen schneiden. Gut die Hälfte mit dem Parmesan unter die Eier rühren. Die restliche Butter in einer großen Pfanne erhitzen, die Eiermasse zugeben und bei mittlerer Hitze stocken lassen, dabei die Eier sanft vom Rand zur Mitte schieben.

- Die Forellenfilets in je drei Stücke schneiden. Das Rührei gleichmäßig auf die Körbchen verteilen und mit je einem Stück Forellenfilet anrichten. Mit dem übrigen Schnittlauch garnieren.

Variante: Statt Forelle können Sie auch **Räucherlachs**, **Graved Lachs** oder **geräucherten Heilbutt** verwenden.

Paprikaterrine mit Parmaschinken

Die luftige Mousse mit nussigem Akzent harmoniert perfekt mit dem feinen Aroma des Parmaschinkens.

Zubereitung: 30 Minuten
Kühlen: mindestens 2 Stunden
Für 6 – 8 Portionen

Zutaten

4 rote Paprikaschoten
8 – 12 Scheiben Parmaschinken
2 Zwiebeln
3 Knoblauchzehen
3 EL Olivenöl
100 ml Gemüsebrühe
200 g passierte Tomaten
1 Bund Basilikum
6 Blatt weiße Gelatine
1 EL Thymianblättchen
Salz
frisch gemahlener Pfeffer
2 EL Zitronensaft
200 ml Sahne
1 Ciabattabrot

▮ Die Paprikaschoten waschen, vierteln, von den Samen und Scheidewänden befreien und die Haut mit dem Sparschäler entfernen. Das Fruchtfleisch würfeln. Zwiebeln und Knoblauch schälen und in Würfel schneiden. Mit den Paprika im Olivenöl anbraten. Die Brühe zugeben und das Gemüse 10 Minuten dünsten. Die passierten Tomaten dazugeben, 5 Minuten einkochen lassen und pürieren.

▮ Das Basilikum waschen und trocken schütteln, die Blätter abzupfen und in Streifen schneiden. Die Gelatine ein paar Minuten in kaltem Wasser einweichen, ausdrücken und unter das heiße Gemüsepüree rühren. Mit Thymian, Salz, Pfeffer, Zitronensaft und dem Basilikum würzen und für 15 – 20 Minuten kalt stellen. Die Sahne steif schlagen und gleichmäßig unterheben.

▮ Eine halbrunde oder eckige Form (ein Liter Inhalt) mit Frischhaltefolie auslegen, die Masse einfüllen und für mindestens 2 Stunden (am besten über Nacht) kalt stellen.

▮ Das Ciabatta in Scheiben schneiden. Die Form auf ein Brett stürzen, die Folie entfernen und die Terrine in Scheiben schneiden. Falls die Scheiben zu groß sind, halbieren. Mit Parmaschinken auf dem Brot anrichten, nach Belieben mit Basilikumblättchen garnieren.

Tipp: Sie können die Terrine auch in sechs bis acht kalt ausgespülte Portionsförmchen füllen und nach dem Gelieren auf Teller stürzen.

Rosmarinspieß mit Schweinefilet und Paprikaschoten

Mediterranes Aroma erhält das zarte Schweinefilet durch den Rosmarinzweig. Die Senfcreme sorgt für leichte Schärfe.

Zubereitung: 35 Minuten
Für 4 Spieße

Zutaten

4 Zweige Rosmarin
2 Schweinefilets (je etwa 300 g)
200 g Crème fraîche
1–2 EL körniger Senf
Salz
frisch gemahlener Pfeffer
3 Frühlingszwiebeln
500 g bunte Paprikaschoten
2 Zwiebeln
1 TL Öl

Außerdem
Schaschlikspieße

- Die Crème fraîche mit Senf, Salz und Pfeffer verrühren. Frühlingszwiebeln putzen, waschen, in dünne Ringe schneiden und unterheben.

- Die Schweinefilets quer in je sechs Scheiben schneiden. Die Paprikaschoten waschen, vierteln, Samen und Scheidewände entfernen und die Viertel in Stücke schneiden. Die Zwiebeln schälen und in Achtel schneiden. Den Rosmarin waschen und trocken schütteln, die Nadeln bis kurz vor der Spitze abstreifen und hacken.

- Filet, Paprika und Zwiebeln abwechselnd auf die Rosmarinzweige stecken, mit Salz und Pfeffer würzen und in einer eingeölten Grillpfanne auf jeder Seite 3 Minuten braten. Mit dem gehackten Rosmarin bestreuen und mit der Senfcreme servieren.

Tipp: Die Spieße lassen sich auch hervorragend auf dem **Holzkohle-** oder **Gasgrill** zubereiten.

Pfannkuchenröllchen mit Spinat-Schafskäse-Füllung

Die köstlichen Crespelle mit saftiger Füllung sind warm und kalt ein Genuss!

Zubereitung: 1 Stunde
Für 12 Röllchen

Zutaten

140 g Mehl
Salz
300 ml Milch
1 Bund Schnittlauch
4 Eier (Größe M)
200 g Babyspinat
4 Tomaten
100 g Schafskäse
60 g Butter
frisch gemahlener Pfeffer
Außerdem
Holzspießchen

▮ Das Mehl mit einer Prise Salz und der Milch glatt rühren. Den Schnittlauch waschen, trocken schütteln und in Röllchen schneiden. Mit den Eiern unter den Teig rühren. Den Spinat in kochendem Salzwasser 2 Minuten blanchieren, abgießen, abschrecken und gut ausdrücken.

▮ Die Tomaten waschen und vierteln, Stielansätze und Kerne entfernen und das Fruchtfleisch mit dem Schafskäse würfeln. Je ein Viertel der Butter in einer Pfanne erhitzen, eine Schöpfkelle Teig hineingeben und durch Drehen der Pfanne auf dem Pfannenboden verteilen. Den Teig etwa 2 Minuten stocken lassen, wenden und nochmals 1–2 Minuten backen. Vier Pfannkuchen zubereiten.

▮ Die Pfannkuchen auf die Arbeitsfläche legen, die klein gezupften Spinatblätter, danach Schafskäse und Tomaten darauf verteilen. Salzen, pfeffern und fest aufrollen. Die Enden der Pfannkuchen abschneiden und jede Rolle mit drei Holzspießen im Abstand von drei bis vier Zentimetern fixieren. Jeweils zwischen den Spießen durchschneiden und anrichten.

Gebackene Won tans

Die Teigbeutel sind unwiderstehlich und schmecken zum Brunch und als Vorspeise.

Zubereitung: 50 Minuten
Für 25 Stück

Zutaten

25 tiefgekühlte Won-tan-Blätter (9 x 9 cm)
200 g Babyspinat
Salz | 1 EL Sesamöl
2 EL Sojasauce
frisch gemahlener Pfeffer
Cayennepfeffer
1 Ei (Gr. M)
100 g Schweinemett
1 EL Speisestärke
Eigelb
Öl zum Ausbacken
süßsaure Chilisauce

▮ Die Won-tan-Blätter auftauen lassen. Den Spinat waschen, 2 Minuten in kochendem Salzwasser blanchieren, in ein Sieb abgießen und kalt abschrecken. Sehr gut ausdrücken und fein hacken. Das Sesamöl erhitzen und den Spinat darin anbraten. Die Sojasauce zugeben, mit Salz, Pfeffer und Cayennepfeffer kräftig würzen. Abkühlen lassen.

▮ Das Mett mit dem Spinat, dem Ei und der Stärke mischen. Das Eigelb verquirlen. Die Won-tan-Blätter auf die Arbeitsfläche legen. Die Ränder dünn mit Eigelb einpinseln. Die Füllung mit einem Teelöffel in die Mitte der Blätter setzen. Die Ecken der Blätter zur Mitte nach oben ziehen und zusammendrehen.

▮ Das Öl in einem großen Topf auf 160 °C erhitzen. Die Won tans darin portionsweise etwa 5 Minuten goldbraun ausbacken. Auf Küchenpapier entfetten und mit der Chilisauce servieren.

Mini-Wiener-Schnitzel

Wie fein ist das denn? Zartes Kalbfleisch in knuspriger Hülle! Das schmeckt ganz pur oder mit dem Aromakick durchs rote Pesto.

Zubereitung: 40 Minuten
Für 6 Portionen

Zutaten

4 dünne Kalbsschnitzel (je etwa 120 g)
2 Eier
4 EL Sahne
Salz
frisch gemahlener Pfeffer
100 g Mehl
100 g Semmelbrösel
50 g Parmesan, frisch gerieben
100 g Butterschmalz zum Ausbacken
2 Limetten

Außerdem
4 EL rotes Pesto zum Servieren

- Die Eier mit der Sahne, Salz und Pfeffer verquirlen. Das Mehl auf einen Teller geben, Semmelbrösel und Parmesan auf einem zweiten Teller mischen. Die Schnitzel trocken tupfen, dritteln und auf beiden Seiten mit Salz und Pfeffer würzen. Nacheinander im Mehl wenden und überschüssiges Mehl abklopfen.

- Die Schnitzel durch die Eiersahne ziehen, abtropfen lassen, dann in der Semmelbrösel-Parmesan-Mischung wenden. Das Butterschmalz in einer großen Pfanne erhitzen. Die Schnitzel in drei Portionen im heißen Butterschmalz auf jeder Seite 2–3 Minuten braten. Dabei ständig Butterschmalz mit einem Löffel darübergeben, damit die Panierung aufgeht und schön wellig wird.

- Die Limetten so schälen, dass die weiße Haut vollständig entfernt wird. Das Fruchtfleisch in Scheiben schneiden. Das rote Pesto auf kleine Gläser verteilen. Die Schnitzel auf Küchenpapier entfetten und mit Limettenscheiben und Pesto servieren.

Tipp: Sehr würzig werden die Schnitzel, wenn sie in **fein zerbröselten Kartoffelchips** paniert werden.

Zwiebelkuchen mit Schinken

Einfach unschlagbar: der Klassiker unter den herzhaften Kuchen. Geht ganz einfach mit selbst gemachtem Hefeteig.

Zubereitung: 40 Minuten
Backen: 35 – 40 Minuten
Für etwa 20 Stücke

Zutaten

1,5 kg Gemüsezwiebeln
100 g Schinkenwürfel
400 g Mehl
1 Würfel Hefe (42 g)
100 ml Öl
50 g Butter
2 – 3 TL Kümmel
4 Eier (Größe M)
300 g Crème fraîche
Salz
frisch gemahlener Pfeffer

Außerdem
Fett und Mehl für das Blech

▮ Für den Teig Mehl und Salz in einer Schüssel mischen. Die Hefe in 170 Milliliter lauwarmem Wasser auflösen. Mit dem Öl zum Mehl geben und mit den Knethaken des Handrührgeräts zu einem glatten Teig verkneten. Abgedeckt an einem warmen Ort 20 Minuten gehen lassen.

▮ Inzwischen die Zwiebeln schälen und in ½ Zentimeter dicke Ringe schneiden. Die Butter in einem großen Topf zerlassen und die Hälfte der Schinkenwürfel darin erhitzen. Zwiebelringe und Kümmel zugeben und unter gelegentlichem Rühren 15 Minuten dünsten. Etwas abkühlen lassen. Den Backofen auf 200 °C vorheizen.

▮ Das tiefe Blech des Backofens fetten und mit etwas Mehl bestäuben. Den Teig entsprechend groß ausrollen, auf das Blech geben und den Rand etwas hochziehen. Die Eier mit der Crème fraîche verquirlen, mit Salz und Pfeffer kräftig würzen und unter die Zwiebelmasse rühren.

▮ Die Mischung auf dem Teig verteilen und glatt streichen. Mit dem restlichen Schinken bestreuen und im heißen Ofen auf der zweiten Schiene von unten 35 – 40 Minuten backen. Falls der Belag zu dunkel wird, nach etwa 20 Minuten mit Alufolie abdecken. Den Zwiebelkuchen lauwarm in Stücke schneiden und servieren.

Tipp: Wenn es mal schnell gehen soll, verwenden Sie **fertigen Hefeteig für Pizza** und **Gemüsekuchen aus dem Kühlregal.**

Putenröllchen mit Parmaschinken und Zucchinifüllung

Eine saftige Füllung aus Zucchini, Parmaschinken und Tomaten in zarten Putenschnitzeln – eine feine Kombination!

Zubereitung: 50 Minuten
Für 16 Röllchen

Zutaten

4 dünne Putenschnitzel (je etwa 100 g)
8 Scheiben Parmaschinken
300 g Zucchini
20 g Butter
100 ml Tomatensaft
Salz
frisch gemahlener Pfeffer
2 EL Öl

Außerdem

Holzspießchen

- Die Zucchini putzen, waschen und in Würfel schneiden. Die Butter zerlassen und die Zucchiniwürfel darin glasig braten. Mit dem Tomatensaft ablöschen und 3 Minuten einkochen lassen. Mit Salz und Pfeffer würzen.

- Die Putenschnitzel abwaschen und trocken tupfen. Leicht überlappend nebeneinander auf die Arbeitsfläche legen. Mit Frischhaltefolie abdecken und plattieren. Mit Salz und Pfeffer würzen und mit den Schinkenscheiben belegen. Die Zucchinimischung darauf verteilen und glatt streichen, dabei einen zwei Zentimeter breiten Rand frei lassen. Die Seiten einschlagen und das Ganze von der Längsseite aufrollen. Mit Holzspießchen zusammenstecken. Den Backofen auf 100 °C vorheizen.

- Die Roulade im heißen Öl in einer Pfanne rundherum braun anbraten. Dann im heißen Ofen in etwa 20 Minuten fertig garen. Die Spießchen entfernen und die Roulade in 16 Scheiben schneiden.

Variante: Sie können die Füllung auch mit **500 g bunten Paprikaschoten zubereiten**. Die Paprika vierteln, von Samen und Scheidewänden befreien und die Viertel mit dem Sparschäler schälen, da die Schale unverdaulich ist.

Hähnchenragout mit Kerbel in der Pastete

In Anlehnung an den fast vergessenen Klassiker „Ragout Fin“: zartes Hähnchenfilet in samtiger Limettensauce mit Kerbel und Champignons.

Zubereitung: 45 Minuten
Für 6 Pasteten

Zutaten

600 g Hähnchenbrustfilet
1 Bund Kerbel
2 Zwiebeln
1 Lorbeerblatt
2 Gewürznelken
1 l Gemüsebrühe
200 g Champignons
200 g tiefgekühlte Erbsen
30 g Butter
30 g Mehl
100 ml Weißwein
100 ml Sahne
abgeriebene Schale von 1 Bio-Limette
2 EL Limettensaft
Salz
frisch gemahlener Pfeffer
1–2 Spritzer Worcestersauce
6 Blätterteigpasteten (Fertigprodukt)

▮ Die Zwiebeln schälen, halbieren und eine Hälfte mit Lorbeerblatt und Nelken spicken. Die Brühe mit der gespickten Zwiebel zum Kochen bringen. Die Hitze herunterschalten und die Hähnchenfilets einlegen. Bei mittlerer Hitze 10–15 Minuten zugedeckt garen. Die Champignons putzen und vierteln.

▮ Die Hähnchenbrustfilets aus der Brühe nehmen und in Würfel schneiden. Die Brühe durch ein Sieb gießen. 400 Milliliter für die Sauce abmessen und beiseitestellen. Unaufgetaute Erbsen und die Champignons in der restlichen Brühe 5 Minuten leise kochen lassen und in ein Sieb gießen. Die übrige halbe Zwiebel sehr fein würfeln und in der Butter glasig anbraten. Mit dem Mehl bestäuben und mit dem Weißwein und den abgemessenen 400 Millilitern Brühe ablöschen. Die Sahne zugeben und die Sauce offen bei geringer Hitze 5 Minuten kochen.

▮ Den Kerbel waschen, trocken schütteln und fein hacken. Mit Champignons und Erbsen in die Sauce geben, nochmals aufkochen. Mit Limettenschale und -saft, Salz, Pfeffer und der Worcestersauce würzen. Das Ragout warm halten. Die Blätterteigpasteten nach Packungsangabe aufbacken, mit dem Ragout füllen und servieren.

Tipp: Das Ragout lässt sich prima vorbereiten, auch schon am Vortag! Es wird dann nur noch erwärmt und in die aufgebackenen Pasteten gefüllt.

Roastbeefsalat in Tomatenvinaigrette

Saftiges Roastbeef mit knackigem Gemüse in pikantem Dressing. Genau das Richtige für Brunchgäste.

Zubereitung: 40 Minuten
Für 6 Gläser

Zutaten

400 g Roastbeefaufschnitt
200 g Zuckerschoten
Salz
200 g Maiskörner
200 g Perlzwiebeln
100 ml Tomatensaft
4–6 EL Obstessig
frisch gemahlener Pfeffer
Cayennepfeffer | Zucker
100 ml Olivenöl
1 Bund Basilikum

▮ Die Zuckerschoten waschen, in Stücke schneiden und in sprudelnd kochendem Salzwasser 2 Minuten blanchieren. In ein Sieb abgießen und kalt abschrecken. Den Mais und die Perlzwiebeln in ein Sieb gießen und abtropfen lassen. Das Roastbeef in breite Streifen schneiden.

▮ Den Tomatensaft mit Essig, Salz, Pfeffer, Cayennepfeffer, einer Prise Zucker und dem Olivenöl verquirlen. Das Basilikum waschen und trocken schütteln, die Blätter abzupfen und in Streifen schneiden, einige Blätter ganz lassen zum Garnieren. Basilikumstreifen in das Dressing geben. Alle Zutaten mit dem Dressing in einer Schüssel mischen und 10–15 Minuten im Kühlschrank durchziehen lassen. Nach Geschmack nachwürzen und in Gläsern anrichten. Mit Basilikum garnieren.

Tipp: Für den Salat können Sie auch **Bratenreste** verwenden. Diese in dünne Streifen schneiden und wie im Rezept beschrieben verarbeiten.

Kartoffel-Waldpilz-Suppe mit Thymiancroûtons

Die samtige Suppe erhält ihre herrliche Cremigkeit durch die Kartoffeln und die Crème fraîche.

Zubereitung: 40 Minuten
Für 6 Gläser

Zutaten

200 g Kartoffeln
25 g getrocknete Waldpilze
2 Zwiebeln
40 g Butter
750 ml Gemüsebrühe
4 Scheiben Toastbrot
6 EL Öl
2 EL Thymianblättchen
200 g Crème fraîche
Salz | Pfeffer

▮ Die getrockneten Pilze mindestens 20 Minuten in 300 Milliliter lauwarmem Wasser einweichen. Kartoffeln und Zwiebeln schälen und würfeln. Die Butter in einem Topf zerlassen und Kartoffel- und Zwiebelwürfel darin anbraten. Mit der Brühe aufgießen und zugedeckt 20 Minuten garen.

▮ Die eingeweichten Pilze ausdrücken und klein hacken. Das Einweichwasser durch ein mit Küchenpapier ausgelegtes Sieb gießen (damit der Sand herausgefiltert wird). Die Pilze und das Einweichwasser zur Suppe geben und 10 Minuten mitkochen.

▮ Das Toastbrot entrinden, in Würfel schneiden und im heißen Öl zu goldbraunen Croûtons braten. Auf Küchenpapier entfetten und mit Thymian bestreuen. Die Crème fraîche zur Suppe geben, die Suppe pürieren und mit Salz und Pfeffer abschmecken. Auf Gläser verteilen und mit den Croûtons bestreut servieren.

Minibrötchen mit Fischsalat

Pikanter Rollmops auf Rote-Bete-Schmant – ideal zum Katerfrühstück.

Zubereitung: 1 Stunde
Für 6 Brötchen

Zutaten

6 Minipartybrötchen
6 Rollmöpse
1 säuerlicher Apfel
100 g vorgegarte Rote Bete
150 g Gewürzgurken
3 Frühlingszwiebeln
1 Bund Dill
250 g Schmant
1–2 EL Weißweinessig
Salz | Pfeffer | Zucker
abgeriebene Schale von
1 Bio-Zitrone

▮ Den Apfel schälen, vierteln und vom Kerngehäuse befreien. Mit der Roten Bete und den Gewürzgurken fein würfeln. Die Frühlingszwiebeln putzen, waschen und in dünne Ringe schneiden. Den Dill waschen, trocken schütteln, fein schneiden und mit Schmant, Essig, Salz, Pfeffer, einer Prise Zucker und der Zitronenschale verrühren.

▮ Zwei Drittel der klein geschnittenen Zutaten unter den Schmand rühren. Die Brötchen halbieren und die untere Hälfte etwas aushöhlen. Mit je einem Esslöffel Rote-Bete-Schmant füllen, jeweils einen Rollmops daraufsetzen und mit den restlichen Zutaten bestreuen.

Variante: Sie können statt der Rollmöpse auch **Bismarckheringe** verwenden. Diese klein geschnitten untermengen und das Ganze als Heringssalat im Glas servieren.

Sardinenspieße mit Gurkenjoghurt

Die feinen gebratenen Sardinen ergeben mit dem erfrischenden Gurkenjoghurt wunderbare Aperitif-Häppchen.

Zubereitung: 40 Minuten
Für 6 Spieße

Zutaten

12 küchenfertige
Sardinen-Doppelfilets
2 Minigurken | Salz
200 g griechischer Joghurt
(10 % Fett)
1–2 EL Zitronensaft
frisch gemahlener Pfeffer
1 TL Chiliflocken
2 EL Öl
Außerdem
Schaschlikspieße

▮ Die Gurke schälen und längs halbieren, die Kerne mit einem Löffel herauskratzen. Gurke grob raspeln, salzen und 10 Minuten ziehen lassen. Dann in einem Tuch ausdrücken und mit Joghurt, Zitronensaft, Salz und Pfeffer verrühren.

▮ Die Fischfilets waschen, trocken tupfen und mit Salz, Pfeffer und Chiliflocken würzen. Auf die Spieße stecken und im heißen Öl in einer Pfanne oder Grillpfanne auf jeder Seite 2–3 Minuten braten. Mit dem Gurkenjoghurt servieren.

Tipp: Wenn Sie die Sardinen grillen möchten, sollten die Spieße mindestens 30 Minuten in kaltem Wasser eingeweicht werden (damit sie beim Grillen nicht verbrennen).

Erbsen-Minze-Püree

Ein Hingucker auf dem Büfett ist dieser feine Genuss mit überraschend würzigem Minz-Aroma – schmeckt auf frischem Weißbrot!

Zubereitung: 30 Minuten
Kühlen: 30 Minuten
Für 6 Servierlöffel

Zutaten

400 g tiefgekühlte Erbsen
4 Stängel Minze
Salz
4 Frühlingszwiebeln
30 g Butter
3 Blatt weiße Gelatine
150 ml Sahne
frisch geriebener Pfeffer
abgeriebene Schale von 1 Bio-Zitrone
1–2 EL Zitronensaft

Außerdem
Weißbrot zum Servieren

- Erbsen unaufgetaut in sprudelnd kochendes Salzwasser geben und 3–4 Minuten blanchieren. In ein Sieb abgießen und kalt abschrecken. Die Frühlingszwiebeln putzen, waschen, in feine Ringe schneiden und in der Butter glasig braten. Die abgetropften Erbsen dazugeben und 3 Minuten mitgaren. Die Gelatine in kaltem Wasser einweichen.

- Die Minze waschen und trocken schütteln, die Blätter abzupfen, einige Blätter zum Garnieren beiseitelegen. Die Erbsen mit der übrigen Minze in einem hohen Rührbecher fein pürieren. Die ausgedrückte Gelatine dazugeben und darin auflösen. Das Püree für 15–20 Minuten kalt stellen. Sobald das Püree zu gelieren beginnt, die Sahne steif schlagen und unterheben. Mit Salz, Pfeffer, Zitronenschale und -saft würzen und nochmals für 10 Minuten kalt stellen.

- Die Mischung in einen Spritzbeutel mit glatter Lochtülle füllen, in Servierlöffel spritzen und mit Minzeblättchen garniert servieren.

Tipp: Im **trendigen Servierlöffel** ist das Püree ein **leckerer Brotaufstrich**. In doppelter Portion wird eine tolle Vorspeise daraus, die mit **Krebsschwänzen** oder **gebratenen Garnelen** noch exklusiver wird.

Pikantes Waffelsandwich mit Kürbiskernquark

Ein toller Snack für zwischendurch oder zu einem Glas Prosecco!

Zubereitung: 50 Minuten
Backen: 3–4 Minuten (pro Stück)
Für 5 Stück

Zutaten

2 rote Zwiebeln
40 g Kürbiskerne
250 g Speisequark
Salz
frisch gemahlener Pfeffer
1 Kästchen rote Shisokresse
1 Kästchen grüne Shisokresse
4 Eier (Größe M)
180 g weiche Butter
250 g Mehl
1 TL Backpulver
250 g Ricotta

Außerdem
Butter für das Waffeleisen
Kürbiskernöl zum Beträufeln

- Die Zwiebeln schälen, längs halbieren und die Hälften in Streifen schneiden. 20 Gramm Kürbiskerne fein hacken und mit Quark, Salz und Pfeffer verrühren. Die Zwiebelstreifen bis auf einen Esslöffel untermischen. Beide Kressesorten abschneiden und jeweils die Hälfte unter den Quark rühren.

- Für die Waffeln die Eier trennen. Dabei von einem Ei das Eiweiß wegwerfen. Die weiche Butter mit den Eigelben und einer Prise Salz schaumig rühren. Das Mehl mit dem Backpulver mischen und unterrühren. Die drei Eiweiß steif schlagen. Den Ricotta und anschließend den Eischnee unter den Teig heben.

- Das Waffeleisen erhitzen und beide Flächen mit etwas Butter einpinseln. Zwei gehäufte Esslöffel Teig daraufgeben und auf mittlerer Stufe (3–4) in 3–4 Minuten eine Waffel backen. Herausnehmen und so weiter verfahren, bis der Teig verbraucht ist. Zum Servieren die Waffeln teilen, die Hälfte der Waffeln mit Quark, den übrigen Zwiebelstreifen, den übrigen Kürbiskernen und der übrigen Kresse bestreuen und jeweils mit ein paar Tropfen Kürbiskernöl beträufeln.

Tipp: Sie können die Waffeln auch vorbereiten, in Dosen aufbewahren und vor dem Servieren kurz im Toaster aufbacken.

Linsensalat mit Staudensellerie in Honig-Senf-Dressing

Lauwarm schmeckt er am besten, der knackige Salat in süßsaurem Dressing!

Zubereitung: 40 Minuten
Für 12 Löffel

Zutaten

150 g braune Linsen
3 Stangen Staudensellerie
Salz
1 Karotte
2 Zwiebeln
5 EL Öl
100 ml Gemüsebrühe
5 EL Rotweinessig
1 EL Honig
Salz
frisch gemahlener Pfeffer
scharfes Paprikapulver
5 Stängel glatte Petersilie

- Die Linsen in kochendes Salzwasser geben und nach Packungsangabe garen. Die Karotte schälen, den Staudensellerie waschen und, falls nötig, die Fäden abziehen. Beide Gemüse in kleine Würfel schneiden und während der letzten 6–8 Minuten mit den Linsen mitgaren.

- Die Zwiebeln schälen, längs halbieren und in dünne Streifen schneiden. Das Öl erhitzen und die Zwiebeln darin glasig anbraten. Brühe, Essig und Honig zugeben, einmal aufkochen und mit Salz, Pfeffer und Paprikapulver kräftig würzen. Die Petersilie waschen und trocken schütteln, die Blätter klein schneiden und unter das Dressing rühren.

- Die Linsen mit dem Gemüse in ein Sieb abgießen, kurz abschrecken und mit dem heißen Dressing mischen. 10 Minuten durchziehen lassen, nach Geschmack nachwürzen und auf die Löffel verteilen.

Tipp: Sie können den Salat auch einmal mit **ausgebratenen Speckwürfeln** oder **gebratenen Hähnchenstreifen** anreichern.

Gegrillte Leberkäse-Apfel-Spieße mit Pfeffer-Crème-fraîche

Deftig-fruchtige Spieße mit frisch geriebenem Meerrettich – ein Genuss mit Zutaten, die man immer im Vorrat haben kann! Ideal für unerwartete Gäste.

Zubereitung: 30 Minuten
Für 6 Spieße

Zutaten

500 g Leberkäse in dicken Scheiben (vakuumverpackt)
200 g Crème fraîche
Salz
frisch gemahlener Pfeffer
1 TL + 1 EL Zitronensaft
Zucker
2 rotschalige Bio-Äpfel
Öl zum Braten
6 Zweige Majoran

Außerdem

Schaschlikspieße

- Die Crème fraîche mit Salz, Pfeffer, einem Teelöffel Zitronensaft und einer Prise Zucker verrühren. Den Leberkäse würfeln, die Äpfel waschen, ungeschält in dicken Scheiben vom Kerngehäuse schneiden, ebenfalls würfeln und mit Zitronensaft beträufeln.

- Leberkäse und Äpfel abwechselnd auf Spieße stecken. In einer geölten Grillpfanne auf jeder Seite 2–3 Minuten braten. Den Majoran waschen und trocken schütteln. Die Blättchen abzupfen und über die Spieße streuen. Mit Salz und Pfeffer würzen. Die Pfeffer-Crème-fraîche auf Schälchen verteilen, nochmals mit Pfeffer übermahlen und mit den Spießen servieren.

Tipp: Die Spieße lassen sich prima vorbereiten, einfach mit Frischhaltefolie abgedeckt bis zum Braten im Kühlschrank aufbewahren.

Nudelauflauf-Würfel mit Erbsen und Schinken

Wenn ein Massenansturm bei Ihnen hereinbricht, ist dieser Snack im Nu zubereitet und macht hungrige Gäste satt!

Zubereitung: 15 Minuten
Garen: 20–25 Minuten
Für 24 Würfel

Zutaten

250 g Fadennudeln
300 g tiefgekühlte Erbsen
Salz
500 g gekochter Schinken (in 1 cm dicken Scheiben)
200 g Kirschtomaten
1 Bund Frühlingszwiebeln
6 Eier (Größe M)
200 ml Milch
200 g geraspelter Emmentaler
frisch gemahlener Pfeffer

Außerdem

Fett für das Backblech

- Die Nudeln mit den Erbsen in reichlich sprudelnd kochendes Salzwasser geben und 2–3 Minuten kochen. In ein Sieb abgießen, kalt abschrecken und abtropfen lassen. Den Schinken würfeln, die Kirschtomaten waschen und halbieren. Den Backofen auf 180 °C vorheizen.

- Die Frühlingszwiebeln putzen, waschen und in feine Ringe schneiden. Eier, Milch und Käse mit Salz und Pfeffer verquirlen, die Frühlingszwiebelringe untermischen. Diese Mischung mit den Nudeln und Erbsen in einer großen Schüssel vermischen. Das tiefe Blech des Backofens fetten, die Masse hineingeben und im heißen Ofen auf der zweiten Schiene von unten 20–25 Minuten garen.

- Den Auflauf etwas abkühlen lassen und in 24 Würfel schneiden.

Tipp: Reste des Auflaufs einfach mit Alufolie abgedeckt im Backofen bei 120 °C etwa 20 Minuten erwärmen.

Aprikosen-Vanille-Schichtdessert

Knusprige Kekse, fluffige Vanillecreme und fruchtige Aprikosen sind ein echter Gaumenschmeichler.

Zubereitung: 20 Minuten
Kühlen: 1 Stunde
Für 6 Gläser

Zutaten

600 g Aprikosenhälften aus der Dose
Mark von 1 Vanilleschote
4 Blatt weiße Gelatine
3 Eigelb
80 g Zucker
200 g Mandelkekse (z. B. Cantuccini)
200 ml Sahne

Außerdem
Minzeblättchen zum Garnieren

- Die Gelatine einige Minuten in kaltem Wasser einweichen. Das Vanillemark mit den Eigelben und dem Zucker dickcremig aufschlagen. Die Aprikosen abgießen, den Saft dabei auffangen. Die Aprikosen in Spalten schneiden. 100 Milliliter Saft erwärmen und die ausgedrückte Gelatine darin auflösen. Diese Mischung unter die Eigelbcreme rühren und für 15 Minuten zugedeckt kalt stellen.

- Die Mandelkekse in einem Gefrierbeutel nicht zu fein zerbröseln und bis auf einen Esslöffel auf sechs Gläser verteilen. Die Hälfte der Aprikosenschnitze daraufschichten. Wenn die Vanillecreme zu gelieren beginnt, die Sahne steif schlagen und unterheben.

- Die Vanillecreme auf die Gläser verteilen, mit den restlichen Aprikosenschnitzen dekorativ belegen und nochmals für 1 Stunde kalt stellen. Restliche Keksbrösel darüberstreuen und mit Minzeblättchen garnieren.

Variante: Das Dessert können Sie nach Belieben auch mit **frischen Früchten der Saison** zubereiten. Im Sommer bieten sich Aprikosen, Pfirsiche oder Beeren an, im Winter schmecken auch Orangenfilets.

Picknick

Fingerfood ist auch *ideal für unterwegs*. Egal, ob Sie sich bei schönem Wetter zum Picknick im Grünen verabreden oder aber Lust haben, sich etwas Besonderes mit ins Büro zu nehmen – hier finden Sie unter anderem knusprige Oliven-Brotstangen, Toasties mit Avocadocreme, Minifrikadellen und Spargelsalat mit Krabben im Kressedressing.

Die Gerichte sind leicht wie der Sommer, sehen wunderbar aus, *lassen sich unkompliziert genießen* – und man hat immer eine Hand frei für ein Getränk.

Hähnchenspieße mit Mango-Curry-Salsa

Die fruchtige Schärfe der Salsa bekommt den pfeffrigen Hähnchenspießen ausgezeichnet – eine feine Kombination!

Zubereitung: 40 Minuten
Für 8 Spieße

Zutaten

600 g Hähnchenbrustfilet
1 Mango
2 Frühlingszwiebeln
1 milde rote Chilischote
1 Stück frischer Ingwer (20 g)
1 EL Öl
1 EL mildes Currypulver
2–3 EL Limettensaft
Salz
frisch gemahlener Pfeffer
20 g Butterschmalz
6 EL Weißwein
4 EL Sojasauce
20 g Sesamsamen

Außerdem

Schaschlikspieße

- Die Mango schälen, das Fruchtfleisch in Scheiben vom Stein schneiden und würfeln. Zwei Drittel der Würfel fein pürieren und die übrigen Würfel unter das Püree rühren. Die Frühlingszwiebeln putzen, waschen und in dünne Ringe schneiden. Die Chilischote längs halbieren, waschen, entkernen und fein würfeln.

- Den Ingwer schälen und fein würfeln. Das Öl erhitzen und Ingwer, Frühlingszwiebeln und Chilischote darin kurz glasig anbraten. Currypulver und das Mangopüree mit den Mangowürfeln unterrühren. Zusammen kurz aufkochen und mit Limettensaft, Salz und Pfeffer kräftig würzen.

- Das Hähnchenbrustfilet waschen und trocken tupfen. Längs in dünne Scheiben schneiden und wellenförmig auf acht Spieße stecken. Mit Pfeffer würzen und im heißen Butterschmalz auf jeder Seite 1–2 Minuten braten. Mit Weißwein und Sojasauce ablöschen und die Flüssigkeit 2 Minuten einkochen lassen. Die Spieße kurz abtropfen lassen, mit Sesam bestreuen und einzeln in Alufolie wickeln. Die Mango-Curry-Salsa in verschließbare Gläser füllen und dazu servieren.

Tipp: Achten Sie beim Einkauf von Mangos darauf, dass Sie **Flugmangos** nehmen. Nur diese werden vollreif geerntet und zeitnah im Handel verkauft.

Oliven-Brotstangen

Diese knusprigen Brotstangen passen ausgezeichnet zu Käse und einem Glas Rotwein.

Zubereitung: 30 Minuten
Ruhen: 30–40 Minuten
Für 24 Stangen

Zutaten

Für den Teig
380 g Mehl
1 Päckchen Trockenhefe
3 Eigelb (Größe M)
100 g weiche Butter
1 Prise Salz
1 Prise Zucker
125 ml lauwarme Milch
Für den Belag
50 g grüne Oliven ohne Stein
2 EL Olivenöl
20 g Sesamsamen
Außerdem
Mehl für die Arbeitsfläche

- Für den Teig alle Zutaten mit den Knethaken des Handrührgeräts zu einem glatten Teig verkneten und zugedeckt an einem warmen Ort 30–40 Minuten gehen lassen. Für den Belag die Oliven in Scheiben schneiden.
- Den Hefeteig auf einer bemehlten Arbeitsfläche auf eine Größe von etwa 48 × 20 Zentimeter ausrollen. Den Backofen auf 200 °C vorheizen.
- Den Teig in 24 Streifen schneiden und die Streifen auf ein mit Backpapier belegtes Backblech legen. Mit dem Olivenöl bepinseln, mit Sesam und Oliven bestreuen und im heißen Ofen auf der zweiten Schiene von unten 10–15 Minuten goldbraun backen. Die Brotstreifen abkühlen lassen und in mit Butterbrotpapier ausgelegten Dosen lagern.

Tipp: Die Brotstangen halten sich luftdicht verpackt etwa eine Woche.

Laugenstangen mit Leberkäse und Senfbutter

Deftige bayerische Brotzeit für unterwegs. Ganz einfach. Einfach gut!

Zubereitung: 15 Minuten
Für 6 Stück

Zutaten

6 Laugenstangen
6 Scheiben Leberkäseaufschnitt
1 Bund Schnittlauch
120 g weiche Butter
2 EL körniger Senf
6 Gewürzgurken

- Den Schnittlauch waschen, trocken schütteln und in Röllchen schneiden. Mit der Butter und dem Senf glatt rühren. Die Laugenstangen halbieren und beide Seiten mit der Butter bestreichen. Gewürzgurken in dünne Scheiben schneiden.
- Die unteren Hälften der Laugenstangen mit Leberkäse und Gurkenscheiben belegen, die oberen Hälften darauflegen und etwas andrücken. Die Laugenstangen einzeln fest in Frischhaltefolie wickeln.

Tipp: Auch **geräucherte Putenbrust** schmeckt gut auf den Laugenstangen. Nehmen Sie zusätzlich noch **geputzte Radieschen** und **geschälten Rettich zum Picknick** mit.

Toasties mit Avocadocreme und Krabben

Üppig belegt und saftig muss es sein – das etwas andere Sandwich. Die Toasties gibt es im Supermarkt im Brotregal.

Zubereitung: 40 Minuten
Für 6 Stück

Zutaten

6 Toasties (Fertigprodukt)
2 Avocados
3 EL Zitronensaft
150 g Sahnequark
Salz
frisch gemahlener Pfeffer
3 Frühlingszwiebeln
6 Radicchioblätter
200 g Nordseekrabben

- Die Avocados schälen, halbieren, die Steine entfernen und das Fruchtfleisch bis auf eine Hälfte herauslöffeln. Mit zwei Esslöffeln Zitronensaft, dem Quark, Salz und Pfeffer pürieren. Die übrige Avocadohälfte in Stücke schneiden und mit dem restlichen Zitronensaft vermischen.

- Die Frühlingszwiebeln putzen, waschen und schräg in dünne Ringe schneiden. Die Radicchioblätter waschen und trocken tupfen. Die Toasties halbieren und toasten, die unteren Hälften mit der Hälfte der Avocadocreme bestreichen und mit Radicchioblättern belegen.

- Mit Avocadostücken, Frühlingszwiebeln und Krabben belegen, die Deckel auflegen und die Toasties fest in Frischhaltefolie wickeln. Die übrige Avocadocreme in ein verschließbares Glas füllen und als Topping mitnehmen.

Tipp: Die Avocadocreme eignet sich auch gut als **Dip**, zum Bespiel zu **gegrillten Garnelenspießen**.

Thunfischsandwich mit Tomaten

Frisch, saftig und gut – dieser Snack lässt sich prima vorbereiten.

Zubereitung: 25 Minuten
Für 8 Stück

Zutaten

370 g Thunfisch in Lake
(2 Dosen)
3 EL Salatcreme
1 EL Schnittlauchröllchen
4 Strauchtomaten
8 Scheiben Sandwichtoast
8 Salatblätter
Salz
frisch gemahlener Pfeffer

▮ Den Thunfisch in einem mit Küchenpapier ausgelegten Sieb abtropfen lassen. Die Hälfte des Thunfisches mit Salatcreme und Schnittlauch verrühren. Die Tomaten waschen, ohne Stielansätze in Scheiben schneiden und auf Küchenpapier abtropfen lassen. Das Toastbrot toasten und vier Scheiben mit der Thunfischcreme bestreichen.

▮ Mit Salat und Tomaten belegen, salzen, pfeffern und den restlichen Thunfisch daraufgeben. Mit den übrigen Toastscheiben abdecken, diese etwas andrücken und jedes Sandwich diagonal durchschneiden. In Frischhaltefolie oder Sandwichdosen verpacken.

Tipp: Wenn Tomatenscheiben oder -würfel in ein Sandwich kommen, sollten Sie diese vorher auf Küchenpapier abtropfen lassen. Die Tomaten bleiben trotzdem saftig, geben aber nicht so viel Flüssigkeit ab, die das Brot durchweichen würde.

Minifrikadellen

Die saftigen Rindfleischbällchen erhalten durch den Senf eine feine Schärfe.

Zubereitung: 35 Minuten
Für 24 Stück

Zutaten

500 g Rinderhackfleisch
2 Scheiben Toastbrot
100 ml warme Milch
2 Zwiebeln | 1 EL Senf
2 Eier (Größe M)
40 g Cornichons | Salz
frisch gemahlener Pfeffer
3–4 EL Öl zum Braten
Muskatnuss
Außerdem
Salatblätter | Senf
24 Vollkornbrottaler

▮ Den Toast entrinden, in Würfel schneiden und mit der warmen Milch verrühren. Zwiebeln schälen, fein würfeln und dazugeben. Mit dem Hackfleisch, Senf und Eiern zu einem glatten Teig verkneten.

▮ Die Cornichons in feine Würfel schneiden, unter den Teig kneten und alles mit Salz, Pfeffer und Muskatnuss kräftig würzen. Mit feuchten Händen 24 kleine Frikadellen formen und im heißen Öl bei mittlerer Hitze 12–15 Minuten braten. Dabei mehrmals wenden.

▮ Die Frikadellen auf Küchenpapier abkühlen lassen und in mit Salatblättern ausgelegten Dosen verpacken. Mit Senf und Brottalern servieren.

Tipp: Für ein Picknick eignet sich am besten Senf aus der Tube, da er sich so gut portionieren lässt.

Kartoffelsalat mit Radieschen und Kapuzinerkresse

Die essbaren Blüten der Kapuzinerkresse mit ihrer leichten Schärfe sind das i-Tüpfelchen auf diesem feinen Kartoffelsalat.

Zubereitung: 45 Minuten
Für 6–8 Portionen

Zutaten

1 kg kleine Kartoffeln (Drillinge)
1 Bund Radieschen
1 Bund Frühlingszwiebeln
5 EL Öl
150 ml Gemüsebrühe
6–8 EL Apfelessig
1–2 EL Senf
Salz | Pfeffer | Zucker
1 Schälchen Kapuzinerkresseblüten

- Die Kartoffeln waschen und in Salzwasser zugedeckt 20 Minuten kochen. Abgießen und kalt abschrecken. Die Radieschen putzen, waschen und in dünne Scheiben schneiden. Die Kartoffeln pellen und ebenfalls in Scheiben schneiden.

- Für das Dressing die Frühlingszwiebeln putzen, waschen, in Ringe schneiden und im Öl glasig braten. Mit Brühe und Essig ablöschen. Den Senf unterrühren und das Dressing mit Salz, Pfeffer und einer Prise Zucker kräftig würzen. Kartoffeln und Radieschen unter das noch warme Dressing heben und mindestens 10 Minuten durchziehen lassen. Nach Belieben nachwürzen. Den Salat in Gefrierdosen füllen und bis zum Essen kalt stellen. Die Blüten im Schälchen mitnehmen und vor dem Servieren über den Salat streuen.

Tipp: Kleine festkochende Kartoffeln eignen sich am besten für Salate, da die Scheiben beim Schneiden nicht so leicht zerfallen wie größere Exemplare.

Kartoffelsalat mit Korianderdressing

Eine feine Variante: Probieren Sie den Salat doch einmal mit einem Korianderdressing!

Zubereitung: 30 Minuten
Für 6–8 Portionen

Zutaten

600 g gekochte Pellkartoffeln
1 Bund Koriandergrün
1 Knoblauchzehe
150 ml Kefir
3–4 EL Zitronensaft
1 EL Olivenöl
Salz
frisch gemahlener Pfeffer
1–2 EL Honig

- Den Koriander waschen, trocken schütteln und hacken. Knoblauch schälen und durch die Presse drücken. Beides mit dem Kefir, Zitronensaft, Öl, Salz, Pfeffer und Honig im Mixer oder mit dem Pürierstab fein pürieren. In eine Servierschüssel geben.

- Die Kartoffeln pellen, in Scheiben schneiden und unter das Dressing mischen. Den Salat 10 Minuten durchziehen lassen und nach Geschmack nachwürzen.

Gazpacho

Die kalte Suppe ist nicht nur geschmacklich großartig, sondern auch ein toller Vitamin- und Mineralstoffspender für heiße Sommertage.

Zubereitung: 30 Minuten
Kühlen: 30 Minuten
Für 6 Gläser

Zutaten

2 Paprikaschoten
1 Salatgurke
2 Zwiebeln
1–2 Knoblauchzehen
1 milde Chilischote
500 g aromatische Tomaten
3–4 EL Rotweinessig
6 EL Olivenöl
Salz
frisch gemahlener Pfeffer
Zucker

- Die Paprikaschoten waschen und vierteln. Die Samen und Scheidewänden entfernen. Die Viertel mit einem Sparschäler schälen und in Würfel schneiden. Gurke, Zwiebeln und Knoblauch schälen und würfeln.

- Die Chilichote halbieren, entkernen und würfeln. Die Tomaten waschen, den Stielansatz herausschneiden und die Tomaten würfeln. Alle Gemüsewürfel (bis auf Zwiebeln und Knoblauch) vermischen, sechs Esslöffel abnehmen und beiseitelegen.

- Die anderen Gemüsewürfel mit Zwiebeln und Knoblauch in einen Mixer geben und fein pürieren. Mit Essig, Öl, Salz, Pfeffer und einer Prise Zucker würzen. Die Gazpacho für etwa 30 Minuten ins Tiefkühlfach stellen. Nochmals aufmixen und nach Belieben nachwürzen. In sechs Gläser mit gut schließendem Deckel füllen, die beiseitegelegten Gemüsewürfel auf die Gläser verteilen. Gläser verschließen und am besten in Kühltaschen transportieren.

Tipp: Ich benutze für dieses Rezept am liebsten Kirschtomaten.

Scharfe Tomatensuppe

Sie mögen es lieber heiß? Dann versuchen Sie es doch mal mit dieser herrlich scharfen Tomatensuppe!

Zubereitung: 25 Minuten
Für 8 Gläser

Zutaten

1 Dose stückige Tomaten (400 g)
2 Knoblauchzehen
1 große Gemüsezwiebel
2 EL Olivenöl
300 ml Gemüsebrühe
Salz | Pfeffer
1–2 TL Chilipaste
1 EL Zucker
4 Stängel Basilikum

- Den Knoblauch und die Zwiebel schälen und fein würfeln. Das Öl in einem Topf erhitzen und Knoblauch und Zwiebel darin glasig braten. Die stückigen Tomaten und die Brühe zugeben und offen 15 Minuten leise kochen lassen.

- Die Suppe mit dem Pürierstab fein pürieren und mit Salz, Pfeffer, Chilipaste und Zucker kräftig würzen. Das Basilikum waschen und trocken schütteln, die Blätter in Streifen schneiden und über die Suppe streuen.

Kürbiscreme mit Kürbiskernen

Die nussig-feine Kürbiscreme ist ein idealer Aufstrich für Baguette, Crostini oder Bauernbrot.

Zubereitung: 35 Minuten
Für 8 Portionen

Zutaten

400 g Hokkaidokürbis
1 Zwiebel
1 Stück frischer Ingwer (30 g)
2 EL Öl
150 ml Orangensaft
30 g Kürbiskerne
Salz
frisch gemahlener Pfeffer
Cayennepfeffer

- Kürbis waschen und in Spalten schneiden. Die Kerne entfernen und die Spalten in Würfel schneiden. Zwiebel und Ingwer schälen, beides fein würfeln und im heißen Öl glasig braten. Kürbiswürfel zugeben, kurz anbraten und das Ganze mit dem Orangensaft ablöschen. Zugedeckt 20–25 Minuten garen.

- Die Kürbiskerne hacken. Den gekochten Kürbis mit dem Sud in einen hohen Rührbecher geben und fein pürieren. Mit Salz, Pfeffer und Cayennepfeffer kräftig würzen. Die Kürbiskerne unterrühren und die Creme in verschließbare Gläser füllen. Zugedeckt bis zum Essen kalt stellen. Mit Baguette oder Kürbiskernbrötchen servieren.

Tipp: Das Rezept bietet sich gut zur Resteverwertung an, wenn Sie Kürbis übrig haben. Sie können das Rezept auch mit anderen Kürbissorten zubereiten, allerdings müssen alle außer Hokkaido geschält werden.

Pfifferling-Speck-Tartelettes

Pilze, Speck und Parmesan – eine fabelhafte Kombination!

Zubereitung: 40 Minuten
Für 6 Stück

Zutaten

300 g Pfifferlinge
2 Schalotten
30 g gewürfelter Speck
2 EL Öl
Salz | Pfeffer
½ Bund glatte Petersilie
150 g Crème fraîche
2 Eier (Größe M)
30 g Parmesan, frisch gerieben
6 Mürbeteig-Tartelettes

- Die Pfifferlinge putzen, größere vierteln. Die Schalotten schälen, fein würfeln und mit dem Speck im heißen Öl glasig braten. Die Pilze zugeben und bei starker Hitze braten, bis alle Flüssigkeit verdampft ist. Mit Salz und Pfeffer würzen. Den Backofen auf 180° C vorheizen.

- Die Petersilie waschen und trocken schütteln, die Blätter abzupfen und fein hacken. Petersilie, Crème fraîche, Eier und Parmesan verquirlen und mit Salz und Pfeffer würzen. Die Tartelettes nebeneinander auf ein Backblech setzen und die Füllung gleichmäßig darauf verteilen. Im heißen Ofen auf der zweiten Schiene von unten 20–25 Minuten backen. Die Tartelettes abkühlen lassen, einzeln in Alufolie wickeln und in Dosen verpacken.

Tipp: Außerhalb der Pfifferlingssaison können Sie auch **Champignons** verwenden.

Tomaten-Pfirsich-Salat in der Ochsenherztomate

Herrlich fruchtig und leicht schmeckt dieser Salat. Einfach aus der Tomate zu genießen.

Zubereitung: 40 Minuten
Für 8 Stück

Zutaten

9 Ochsenherztomaten
Salz
frisch gemahlener Pfeffer
3 EL Apfelessig
5 EL Olivenöl
2 Schalotten
1 Pfirsich
5 Stängel Basilikum

▌Die Tomaten waschen. Von acht Tomaten einen Deckel abschneiden, das Fruchtfleisch herauslösen und durch ein Sieb streichen. Mit Salz, Pfeffer, Essig und Öl verrühren. Die Schalotten schälen, in dünne Ringe schneiden und unterrühren.

▌Die übrige Tomate vom Stielansatz befreien, vierteln, entkernen und in Würfel schneiden. Den Pfirsich in kochendem Wasser 30 Sekunden blanchieren, kalt abschrecken, häuten und vierteln. Den Stein entfernen und das Fruchtfleisch würfeln. Basilikum waschen und trocken schütteln, die Blätter abzupfen und in feine Streifen schneiden.

▌Alle Zutaten unter das Dressing mischen, in die ausgehöhlten Tomaten füllen und mit den Deckeln in Dosen verpacken.

Pfannkuchenröllchen mit Räucherlachsfüllung

Eine Traumkombination: zarte Pfannkuchen, gefüllt mit frischem Grün und Räucherlachs.

Zubereitung: 50 Minuten
Kühlen: 20 Minuten
Für 16 Röllchen

Zutaten

150 g Mehl | 400 ml Milch
3 Eier (Größe M)
Salz
40 g Butterschmalz
½ Bund Dill
80 g Räucherlachs
2 TL Senf
1–2 TL flüssiger Honig
frisch gemahlener Pfeffer
120 g Doppelrahmfrischkäse
8 große Salatblätter

▌Mehl und Milch glatt rühren. Die Eier und eine Prise Salz unterrühren. In einer Pfanne in jeweils etwa einem Teelöffel erhitztem Butterschmalz nacheinander acht Pfannkuchen backen. Jeden fertigen Pfannkuchen auf Küchenpapier abkühlen lassen.

▌Inzwischen den Dill waschen, trocken schütteln und fein schneiden. Den Lachs in feine Würfel schneiden und beides mit Senf, Honig, Salz, Pfeffer und Frischkäse verrühren. Die Pfannkuchen gleichmäßig damit bestreichen (dabei rundherum einen Zentimeter frei lassen).

▌Die Pfannkuchen mit den Salatblättern belegen und fest aufrollen. Jede Rolle quer halbieren und einzeln in Frischhaltefolie wickeln, sodass 16 kleine Päckchen entstehen. Die Päckchen für 20 Minuten kalt stellen.

Tipp: Wickeln Sie die Röllchen zum Essen nicht ganz aus, so kann man sie direkt aus der Hand genießen.

Ziegenfrischkäsecreme mit Arganöl

Estragon und Honig verleihen dieser Creme eine raffinierte Note.

Zubereitung: 20 Minuten
Für 6 Schälchen

Zutaten

250 g Ziegenfrischkäse
250 g Schmant
6 Stängel Estragon
1 Zwiebel
Salz
frisch gemahlener Pfeffer
6 TL Honig
6 EL Arganöl
Außerdem
Weißbrot zum Servieren

▮ Den Ziegenfrischkäse mit dem Schmant cremig rühren. Den Estragon waschen und trocken schütteln. Vier Stängel Estragon fein hacken. Die Zwiebel schälen und sehr fein würfeln. Beides unter die Käsecreme rühren und mit Salz und Pfeffer kräftig würzen.

▮ Die Creme auf sechs Schälchen oder Gläser verteilen. Mit dem restlichen Estragon garnieren, Honig und Arganöl darüberträufeln. Die Gefäße verschließen und bis zum Einpacken kalt stellen. Die Creme schmeckt auf Weißbrot.

Variante: Wer kein Arganöl hat, kann es durch **kalt gepresstes Olivenöl** ersetzen.

Grüner Spargelsalat mit Krabben im Kressedressing

Leichter Genuss mit feinem Aroma – probieren Sie es aus!

Zubereitung: 50 Minuten
Für 6 Gläser

Zutaten

500 g grüner Spargel
150 g Zuckerschoten
Salz
200 g Kirschtomaten
2 rote Zwiebeln
4 EL weißer Balsamicoessig
frisch gemahlener Pfeffer
1–2 TL Honig
2 TL Kapern
6 EL Rapsöl
2 Kästchen Kresse
250 g Nordseekrabben

▮ Den Spargel und die Zuckerschoten waschen. Spargel im unteren Drittel schälen und die holzigen Enden abschneiden. Die Stangen schräg in Scheiben schneiden. Die Zuckerschoten dritteln und mit dem Spargel in kochendem Salzwasser 3 Minuten blanchieren. In ein Sieb abgießen, kalt abschrecken und abtropfen lassen.

▮ Die Kirschtomaten waschen und halbieren. Die Zwiebeln schälen, halbieren und in dünne Streifen schneiden. Für das Dressing Essig mit Salz, Pfeffer, Honig, Kapern und Öl verquirlen. Die Kresse abschneiden und die Hälfte unterrühren. Alle Zutaten mit dem Dressing und den Krabben in einer großen Schüssel mischen und 10 Minuten durchziehen lassen.

▮ Den Salat in sechs Gläser oder Schüsseln mit Deckel füllen und mit der restlichen Kresse bestreuen.

Variante: Probieren Sie diesen Salat auch einmal mit **rohem weißem Spargel**, der nach dem Schälen in sehr feine Scheiben geschnitten wird!

Roastbeefbaguette mit Ei und Senfcreme

Die scharfe Senfcreme ergänzt das zarte, rosa gebratene Rindfleisch ausgezeichnet.

Zubereitung: 30 Minuten
Für 4 Portionen

Zutaten

300 g Roastbeefaufschnitt
2 Eier
1 Bund Kerbel
1–2 EL scharfer Senf
100 g Mayonnaise
1 EL Zitronensaft
3 EL Crème fraîche
2 Frühlingszwiebeln
2 kleine Baguettes
4 Salatblätter
Salz
frisch gemahlener Pfeffer

▌Die Eier anpiksen und in 10 Minuten hart kochen. Für die Senfcreme den Kerbel waschen, trocken schütteln und hacken. Mit Senf, Mayonnaise, Zitronensaft und Crème fraîche fein pürieren. Die Frühlingszwiebeln putzen, waschen und in feine Ringe schneiden.

▌Die Baguettes aufschneiden und alle vier Hälften mit Senfcreme bestreichen. Eier kalt abschrecken, pellen und mit einem Eierschneider in Scheiben schneiden. Die Salatblätter waschen und trocken tupfen. Die unteren Baguettescheiben mit Salatblättern, Roastbeef und Eierscheiben belegen. Mit Salz und Pfeffer würzen und mit Frühlingszwiebeln bestreuen. Mit den oberen Hälften abdecken, jedes Baguette halbieren und in Brotdosen verpacken. Übrige Senfcreme in ein gut verschließbares Glas füllen und mitnehmen.

Tipp: Anstelle der Mayonnaise können Sie auch eine fettarme Salatcreme verwenden.

Toast Hawaii

Lust auf Nostalgie? Wie wäre es mit diesem 50er-Jahre-Klassiker?

Zubereitung: 20 Minuten
Für 8 Stück

Zutaten

4 Scheiben Toastbrot
4 TL weiche Butter
4 Scheiben gekochter Schinken
4 Scheiben Ananas aus der Dose
4 Scheiben Butterkäse

▌Den Backofen auf 200 °C vorheizen. Das Toastbrot toasten und mit der Butter bestreichen. Jedes Brot mit Schinken, Ananas und Käse belegen und auf ein mit Backpapier belegtes Blech legen.

▌Im heißen Ofen auf der zweiten Schiene von unten 5–8 Minuten überbacken. Die Toasts diagonal durchschneiden und in der Serviette servieren.

Tandoorispieße mit asiatischem Gurkensalat

Die exotischen Aromen der Tandooripaste und die Frische des Salates harmonieren perfekt.

Zubereitung: 40 Minuten
Für 6 Spieße

Zutaten

Zutaten
500 g Putenbrustfilet
3 EL Tandooripaste (Fertigprodukt)
150 g Sahnejoghurt
2 Salatgurken
Salz
Zucker
1 milde rote Chilischote
1 Bund Schnittlauch
abgeriebene Schale von 1 Bio-Limette
4 EL Limettensaft
6 EL Rapsöl

Außerdem
Schaschlikspieße

- Das Putenbrustfilet waschen und trocken tupfen. In Würfel schneiden und auf sechs Spieße stecken. Die Tandooripaste mit dem Joghurt verrühren und das Fleisch großzügig damit einpinseln. 20 Minuten zugedeckt marinieren.

- Für den Salat die Gurken schälen, in dünne Scheiben hobeln und mit je einem Teelöffel Salz und Zucker mit den Händen verkneten. In ein Sieb geben und abtropfen lassen. Die Chilischote waschen, längs halbieren, entkernen und fein würfeln.

- Den Schnittlauch waschen, trocken schütteln und in Röllchen schneiden. Mit der Chilischote, Limettenschale und -saft und drei Esslöffeln Öl verrühren. Die ausgedrückten Gurkenscheiben unterrühren, den Salat in eine Dose mit Deckel füllen und kalt stellen.

- Die Spieße trocken tupfen und im restlichen Öl rundherum 4–6 Minuten braten. Abkühlen lassen und in Alufolie wickeln. Mit dem Salat servieren.

Info: Tandoori ist eine indische Gewürzpaste aus Chili, Bockshornklee und zahlreichen anderen Gewürzen, Salz und einem Schuss Essig. Der Joghurt im Rezept sorgt nicht nur für Frische, sondern hilft auch dabei, dass sich die Aromen perfekt verteilen.

Pikanter Blätterteigstrudel mit Spitzkohl-Pilz-Füllung

Knuspriger Blätterteig umhüllt die feine Füllung mit Schinkenwürfeln und getrockneten Tomaten. Ganz tolles Fingerfood für eine große Runde.

Zubereitung: 50 Minuten
Für 24 Scheiben

Zutaten

550 g Blätterteig (2 Rollen)
500 g Spitzkohl
300 g Champignons
1 Zwiebel
3 EL Öl
100 g Schinkenwürfel
200 g Doppelrahmfrischkäse
Salz
frisch gemahlener Pfeffer
1 TL Kümmel
60 g getrocknete Tomaten

- Den Spitzkohl putzen, vierteln, den Strunk herausschneiden und die Viertel in feine Streifen schneiden. Waschen und abtropfen lassen. Die Champignons putzen und in Scheiben schneiden. Die Zwiebel schälen, fein würfeln und mit dem Schinken im heißen Öl anbraten.

- Den Spitzkohl dazugeben und unter Rühren 5 Minuten mitbraten. Champignons zugeben und garen, bis alle Flüssigkeit verdampft ist. Den Frischkäse unterrühren und das Ganze mit Salz, Pfeffer und Kümmel würzen. Abkühlen lassen.

- Den Backofen auf 200 °C vorheizen. Beide Teigrollen auf einer Arbeitsplatte ausrollen, die Füllung jeweils auf dem unteren Drittel verteilen, dabei auf beiden Seiten einen ein Zentimeter breiten Rand frei lassen. Die Tomaten darauf verteilen. Die Teigseiten einschlagen und die Teigplatten aufrollen.

- Die Strudel mit der Naht nach unten auf ein mit Backpapier belegtes Backblech legen. Im heißen Ofen auf der zweiten Schiene von unten 25–30 Minuten backen.

- Die Strudel abkühlen lassen und jeden in zwölf Scheiben schneiden. In mit Butterbrotpapier ausgelegten Boxen verpacken.

Beeren-Tartelettes

Knuspriger Mürbeteig trifft auf süße Creme und fein-säuerliche Beeren.

Zubereitung: 15 Minuten
Backen: 10–25 Minuten
Für 6 Tartelettes

Zutaten

250 g Himbeeren
250 g Schmant
abgeriebene Schale von
1 Bio-Zitrone
1 Päckchen Bourbon-Vanillezucker
100 g Zucker
2 Eier (Größe M)
6 Mürbeteig-Tartelettes

- Schmant, Zitronenschale, Vanillezucker, Zucker und Eier verquirlen. Den Backofen auf 180 °C vorheizen. Die Tartelettes nebeneinander auf ein Backblech setzen und mit der Creme füllen. Im heißen Ofen auf der zweiten Schiene von unten 20–25 Minuten backen.

- Die Beeren waschen, trocken tupfen und in eine Gefrierbox geben. Die Tartelettes abgekühlt in Dosen verpacken und vor dem Essen mit den Beeren belegen.

Tipp: Anstelle der Himbeeren schmecken auch **Erdbeeren** oder **Johannisbeeren**.

Cranberry-Wackelpeter mit Vanillesauce

Ein Kindertraum, dem auch Erwachsene kaum widerstehen können.

Zubereitung: 20 Minuten
Kühlen: mindestens 3 Stunden
Für 6 Gläser

Zutaten

1 l Cranberrysaft
12 Blatt weiße Gelatine
4–6 EL Zucker
1 Vanilleschote
500 ml Milch
1 Päckchen Vanille-puddingpulver
2–3 EL Zucker

- Die Gelatine in kaltem Wasser einweichen. 100 Milliliter Cranberrysaft mit dem Zucker aufkochen lassen, vom Herd nehmen und die ausgedrückte Gelatine darin auflösen. Den restlichen Saft zügig unterrühren. Die Flüssigkeit auf sechs Gläser verteilen und mindestens 3 Stunden, am besten über Nacht gelieren lassen.

- Für die Vanillesauce die Vanilleschote längs aufschneiden, das Mark herauskratzen und mit 400 Milliliter Milch zum Kochen bringen. Die übrige Milch mit Puddingpulver und Zucker glatt rühren, in die kochende Milch geben und unter Rühren 2 Minuten kochen lassen. Sauce abkühlen lassen und kalt stellen.

- Die Gläser mit Deckeln verschließen. Die Vanillesauce in eine Flasche füllen und vor dem Servieren über das Gelee gießen.

Fein & festlich

In diesem Kapitel dürfen Sie auf Rezepte für *erlesene Gaumenfreuden* gespannt sein. Mit edlen Zutaten wie Jacobsmuscheln, frischem Thunfisch, Lammfilet, Morcheln und Rindertatar werden hier feine Snacks für *verwöhnte Genießer* gezaubert.

Raffinierte Gerichte wie Rucolamousse auf Crostini, Kaviarbaguette, Entenleberparfait oder Morchel-Cappuccino erfreuen anspruchsvolle Gäste und lassen Sie garantiert als perfekte Gastgeber glänzen.

Kalbshackbällchen in Sesamkruste mit Ananassalsa

Sesam verleiht den saftigen Fleischbällchen eine knusprige Hülle und ein wunderbares Aroma.

Zubereitung: 55 Minuten
Für 18 Stück

Zutaten

Für die Ananassalsa
40 g Zucker
1 Zwiebel
300 g Ananasfruchtfleisch
100 ml Ananassaft
1 milde rote Chilischote
Salz
frisch gemahlener Pfeffer

Für die Kalbsbällchen
3 Frühlingszwiebeln
1 milde rote Chilischote
300 g Kalbshackfleisch
1 Ei
2 EL Semmelbrösel
2 EL gehackte glatte Petersilie
50 g Sesamsamen
3 EL Öl zum Braten

Außerdem
Holzspieße

- Für die Ananassalsa den Zucker in einem Topf karamellisieren lassen. Zwiebel schälen und fein würfeln, das Ananasfruchtfleisch würfeln und beides zum Karamell geben. Mit dem Ananassaft ablöschen und 10 Minuten bei mittlerer Hitze kochen lassen, bis sich der Karamell gelöst hat. Chilischote waschen, halbieren, entkernen, fein würfeln und unterrühren. Mit Salz und Pfeffer würzen.

- Für die Bällchen die Frühlingszwiebeln putzen und waschen. Die Chilichote waschen, halbieren und entkernen, beides fein würfeln. Mit dem Kalbshackfleisch, dem Ei, den Semmelbröseln und der Petersilie zu einem glatten Teig verkneten. Mit feuchten Händen 18 kleine Bällchen formen und in den Sesamsamen wälzen.

- Das Öl erhitzen und die Bällchen darin bei mittlerer Hitze rundherum 12–15 Minuten braten. Die Salsa in Gläsern anrichten, die Bällchen auf Spieße stecken und servieren.

Variante: Statt mit Ananas können Sie die Salsa auch mit der gleichen Menge **Mango** oder **Papaya** zubereiten.

Gekräuterte Ziegenkäsetaler in Parmaschinkenhülle

Würzige Kräuter, milder Parmaschinken und die leichte Honigsüße machen die Käsetaler zum Partyhit!

Zubereitung: 20 Minuten
Für 6 Stück

Zutaten

3 Stängel Estragon
4 Stängel glatte Petersilie
6 Stängel Kerbel
½ Bund Schnittlauch
6 Ziegenfrischkäsetaler (je etwa 60 g)
1 Eiweiß
6 Scheiben Parmaschinken
6 TL Honig
1 Staude Chicorée

- Die Kräuter waschen, trocken schütteln und fein hacken. Die Ziegenkäsetaler rundherum mit Eiweiß einpinseln und in der Kräutermischung wälzen. Den Backofen auf 160 °C vorheizen.

- Die Kräuter-Käse-Taler mit je einer Scheibe Parmaschinken umwickeln. Nebeneinander auf ein mit Backpapier belegtes Backblech legen und jeweils mit einem Teelöffel Honig beträufeln.

- Die Kräuter-Käse-Taler im heißen Ofen auf der zweiten Schiene von unten 6–8 Minuten backen. Inzwischen den Chicorée putzen, den bitteren Strunk herausschneiden und sechs große Blätter ablösen (restlichen Chicorée anderweitig verwenden). Jeden Taler in ein Chicoréeblatt setzen und servieren.

Variante: Probieren Sie mal **Käsetaler mit Tomaten-Pinienkern-Pesto**. Für sechs Stück eine Knoblauchzehe schälen und fein hacken. Vier Zweige Thymian waschen und trocken schütteln, die Blättchen abzupfen und fein hacken. 15 Gramm getrocknete Tomaten (in Öl) grob hacken und mit zwei Esslöffeln gerösteten Pinienkernen, Knoblauch, Thymian, vier Esslöffeln Einlegeöl von den Tomaten, etwas Salz und zwei bis drei Esslöffeln frisch geriebenem Parmesan pürieren. Sechs Ziegenkäsetaler auf Chicoréeblätter setzen und mit dem Pesto servieren.

Babysalat mit Tomatenvinaigrette in der Parmesanhippe

Zarte Salatblättchen mit Vinaigrette und Parmesanspänen – serviert in krosser Hippe.

Zubereitung: 50 Minuten
Für 4 Portionen

Zutaten

200 g Salatmischung (zum Beispiel Rucola, Spinat)
2 kleine rote Zwiebeln
2 mittelgroße Tomaten
4 EL Rotweinessig
1–2 TL Senf
Salz | Pfeffer
100 ml Olivenöl
1 Bund Basilikum
240 g Parmesan, frisch gerieben
30 g Parmesan am Stück

▮ Für die Vinaigrette die Zwiebeln schälen. Die Tomaten waschen und die Stielansätze herausschneiden. Zwiebeln und Tomaten fein würfeln. Essig, Senf, Salz, Pfeffer und Olivenöl glatt rühren. Basilikum waschen und trocken schütteln, Blätter abzupfen und in Streifen schneiden. Basilikum, Tomaten und Zwiebeln unter die Vinaigrette rühren.

▮ Für die Hippen je 60 Gramm geriebenen Parmesan in einer kleinen beschichteten Pfanne gleichmäßig dünn ausstreuen. Wenn der Parmesan zu schmelzen beginnt und nach 4–6 Minuten goldgelb wird, den Fladen mit einer Palette wenden. Wenn die zweite Seite ebenfalls goldgelb ist, den Fladen herausheben und zügig mittig auf eine umgedrehte Kaffeetasse legen. Abkühlen lassen und abheben. Auf diese Weise vier Parmesanhippen zubereiten.

▮ Das Parmesanstück in dünne Scheiben hobeln. Die Salatmischung putzen, waschen, trocken schleudern und mit der Vinaigrette mischen. Die Hippen anrichten, mit Salat füllen und mit Parmesanhobeln bestreuen.

Kartoffel-Rote-Bete-Bonbons

Mit Meersalz und Meerrettich in der Aromahülle gegart und blitzschnell zubereitet.

Zubereitung: 25 Minuten
Für 6 Stück

Zutaten

600 g gekochte Kartoffeln
600 g vorgegarte Rote Bete
Meersalz
frisch gemahlener Pfeffer
1 Stück frischer Meerrettich (40 g)
abgeriebene Schale von 1 Bio-Zitrone
6 EL Olivenöl
1 Bund Dill

▮ Die Kartoffeln pellen. Kartoffeln und Rote Bete in zwei Zentimeter große Würfel schneiden. Aus Backpapier sechs Rechtecke von 15 × 10 Zentimeter Größe zuschneiden und nebeneinanderlegen. Die Gemüsewürfel darauf verteilen und mit Meersalz und Pfeffer würzen. Den Backofen auf 200 °C vorheizen.

▮ Den Meerrettich schälen und fein reiben. Mit der Zitronenschale auf das Gemüse streuen und mit dem Olivenöl beträufeln. Das Papier von der Längsseite aufrollen und die Enden wie Bonbons zusammendrehen. Auf ein Backblech legen und im heißen Ofen 10–12 Minuten backen. Den Dill waschen, trocken schütteln und fein schneiden. Die Bonbons aus dem Ofen holen, ein bisschen öffnen und den Inhalt mit Dill bestreuen.

Tipp: Gekochtes Gemüse können Sie auf diese Weise raffiniert verwenden. Es sollte aber bissfest sein, sonst wird es nach dem Backen zu weich.

Rucolamousse mit Pinienkernen auf Crostini

Das pikant-nussige Kraut gibt der Mousse Farbe und Geschmack. Auf knusprigem Bauernbrot ein Hochgenuss!

Zubereitung: 50 Minuten
Kühlen: 3 Stunden
Für 6 Portionen

Zutaten

200 g Rucola
Salz
5 Blatt weiße Gelatine
500 g Sahnejoghurt
Salz
frisch gemahlener Pfeffer
6 kleine Scheiben Bauernbrot
6 TL Olivenöl
3 Tomaten
30 g gehackte Pinienkerne

- Den Rucola verlesen und waschen, bis auf eine Handvoll schöner Blätter in kochendem Salzwasser 1 Minute blanchieren. In ein Sieb abgießen, kalt abschrecken, kurz abtropfen lassen und in einem Tuch gut ausdrücken. Die Gelatine in kaltem Wasser einweichen.

- Zwei Esslöffel Joghurt in einem kleinen Topf erwärmen. Die ausgedrückte Gelatine darin auflösen. Diese Mischung mit dem blanchierten Rucola und dem restlichen Joghurt in einen Mixer geben und fein pürieren. Mit Salz und Pfeffer würzen, in eine Schüssel umfüllen und abgedeckt für 3 Stunden kalt stellen, bis sie fest ist.

- Den Backofen auf 180 °C vorheizen. Die Brotscheiben auf ein mit Backpapier belegtes Blech verteilen, mit dem Olivenöl einpinseln und salzen. Im heißen Ofen auf der zweiten Schiene von unten 10 Minuten backen. Abkühlen lassen.

- Die Tomaten waschen und ohne Stielansätze in Streifen schneiden. Mit dem beiseitegelegten Rucola auf den abgekühlten Brotscheiben verteilen. Von der Mousse mit einem Esslöffel Nocken abstechen und auf den Broten verteilen. Mit den gehackten Pinienkernen bestreut servieren.

Tipp: Alternativ können die Brotscheiben auch in einer Pfanne gebraten werden; bei größeren Mengen ist die Zubereitung im Ofen jedoch praktischer.

Minigurken mit Krabbencocktail

Die kühle Gurke bildet ein wunderbares Gegengewicht zum pikanten Krabbensalat.

Zubereitung: 25 Minuten
Für 8 Portionen

Zutaten

4 Minigurken
250 g Nordseekrabben
100 g Mayonnaise
abgeriebene Schale von
1 Bio-Zitrone
1–2 EL Zitronensaft
Salz | Cayennepfeffer
2 EL Ketchup
100 g Sahnejoghurt
1 Bund Frühlingszwiebeln
1 Kästchen Kresse

- Die Gurken waschen und längs halbieren. Die Kerne mit einem Löffel herauskratzen und das Fruchtfleisch mit Küchenpapier trocken tupfen. Die Mayonnaise mit Zitronenschale und -saft, mit Salz, Cayennepfeffer, Ketchup und dem Joghurt verrühren.

- Die Frühlingszwiebeln putzen, waschen und in feine Ringe schneiden. Die Kresse abschneiden und die Hälfte mit den Frühlingszwiebeln und 200 Gramm Krabben locker unter das Joghurtdressing heben. Die Mischung nach Belieben nachwürzen und in die Gurkenhälften füllen. Mit den übrigen Krabben und der restlichen Kresse bestreut servieren.

Variante: Anstelle von Nordseekrabben können Sie auch **im Dampf gegarte Grönlandshrimps** aus dem Kühlregal verwenden.

Kürbis-Feta-Spieße mit Maracujadip

Das exotische Fruchtaroma der Maracuja harmoniert optimal mit dem nussigen Kürbis.

Zubereitung: 50 Minuten
Marinieren: 20 Minuten
Für 8–10 Spieße

Zutaten

1 kleiner Hokkaidokürbis
(etwa 700 g)
400 g Feta | 7 EL Olivenöl
100 ml Orangensaft
1 EL gehackte
Rosmarinnadeln
½ TL Chiliflocken | Salz
2 Maracujas
200 g Crème fraîche
frisch gemahlener Pfeffer
5 Stängel Koriander
Außerdem
Schaschlikspieße

- Den Kürbis waschen und halbieren. Die Kerne mit einem Löffel entfernen und das Fruchtfleisch in 3–4 Zentimeter große Stücke schneiden. Den Feta in ebenso große Stücke schneiden und beides abwechselnd auf acht bis zehn Spieße stecken.

- Für die Marinade vier Esslöffel Olivenöl mit dem Orangensaft, Rosmarin, Chiliflocken und Salz verrühren. Die Spieße 20 Minuten marinieren.

- In der Zwischenzeit für den Dip die Maracujas halbieren, Kerne und Fruchtfleisch mit einem Löffel herauskratzen und mit Crème fraîche, Salz und Pfeffer verrühren. Den Koriander waschen und trocken schütteln, die Blätter abzupfen und unterrühren.

- Die Spieße aus der Marinade nehmen, trocken tupfen und in drei Esslöffeln heißem Öl auf jeder Seite 3–4 Minuten braten. Mit dem Maracujadip servieren.

Tipp: Diese Spieße sollten Sie sich unbedingt für die nächste Grillparty vormerken, denn sie schmecken vom Grill fast noch besser.

Gefülltes Kaviarbaguette

Dieses edel gefüllte Brot ist in 15 Minuten zubereitet. Weil es sich kalt aber besser in Scheiben schneiden lässt, sollte es 2 Stunden durchkühlen.

Zubereitung: 15 Minuten
Kühlen: 2 Stunden
Für 16 Scheiben

Zutaten

100 g Lachskaviar
100 g Forellenkaviar
1 Baguette
100 g weiche Butter
400 g Meerrettichfrischkäse
abgeriebene Schale von 1 Bio-Zitrone
frisch gemahlener Pfeffer
1 Bund Schnittlauch

- Beide Enden des Baguettes abschneiden, das Brot längs halbieren und die Krume herauslösen. Die weiche Butter, den Frischkäse, die Zitronenschale und Pfeffer mit den Quirlen des Handrührgeräts cremig aufschlagen.
- Beide Kaviarsorten (bis auf je zwei Esslöffel) ganz vorsichtig mit einem Teigspatel unterziehen, damit die Kaviarperlen nicht platzen. Brothälften fest mit der Masse füllen, wieder aufeinandersetzen und in Frischhaltefolie gewickelt 2 Stunden durchkühlen lassen.
- Kurz vor dem Servieren den Schnittlauch waschen, trocken schütteln und in Röllchen schneiden. Das gefüllte Baguette (am besten mit einem elektrischen Messer) in Scheiben schneiden und mit restlichem Kaviar und Schnittlauch bestreut servieren.

Tipp: Echter Kaviar vom Stör gilt als teuerstes Lebensmittel der Welt. Allerdings sind sowohl optisch als auch geschmacklich **Keta-**, **Lachs-**, **Forellen-** oder **deutscher Kaviar** durchaus ein Ersatz.

Thunfisch-Zitronengras-Spieße mit Tomatendip

Das Zitronengras gibt sein feines Aroma direkt an den Thunfisch ab.

Zubereitung: 20 Minuten
Für 6 Spieße

Zutaten

600 g sehr frischer Thunfisch
6 Stängel Zitronengras
400 g Strauchtomaten
3 Frühlingszwiebeln
3 EL Ketchup
1–2 EL Zitronensaft
Salz | Cayennepfeffer
3 EL Olivenöl
frisch gemahlener Pfeffer

- Für den Dip die Tomaten in kochendem Wasser 30 Sekunden blanchieren und kalt abschrecken. Tomaten enthäuten, die Kerne entfernen und das Fruchtfleisch in feine Würfel schneiden. Die Frühlingszwiebeln putzen, waschen, in feine Ringe schneiden und mit Tomatenwürfeln, Ketchup, Zitronensaft, Salz und Cayennepfeffer verrühren.
- Für die Spieße die äußere Schale der Zitronengrasstängel entfernen und die Stängel mit dem Rücken eines Kochmessers rundherum etwas klopfen, damit sich das Aroma entfalten kann. Den Thunfisch in drei bis vier Zentimeter große Stücke schneiden und auf die Stängel spießen.
- Die Spieße im heißen Öl auf jeder Seite 1–2 Minuten braten. Salzen, pfeffern und mit dem Tomatendip servieren.

Tipp: Der Thunfisch muss im Kern noch rosa sein, sonst wird er trocken.

Sushi mit Lachsfilet

Die beliebtesten Sushi sind diese kleinen Rollen. Mit einer Bambusmatte und etwas Geduld kann man sie ganz einfach selber machen.

Zubereitung: 1 Stunde
Für 24 Stück

Zutaten

150 g Sushireis
100 g Salatgurke
100 g sehr frisches Lachsfilet
4 EL Reisessig
1 TL Zucker
1 TL Salz
1 EL Wasabipulver
4 Noriblätter (Algenblätter)

Außerdem
Sojasauce und eingelegter Ingwer zum Servieren

- Den Reis in ein Sieb geben und unter fließendem kaltem Wasser gut abspülen, bis das Wasser klar ist. Reis gut abtropfen lassen und mit 220 Milliliter Wasser aufkochen. Zugedeckt bei sehr geringer Hitze 8–10 Minuten quellen lassen. Vom Herd nehmen und zugedeckt 15 Minuten ziehen lassen (das Wasser muss vom Reis vollständig aufgenommen sein).

- Die Gurke schälen, längs halbieren, entkernen und mit dem Lachs in acht Zentimeter lange Streifen schneiden. Den Reisessig mit Zucker und Salz verrühren und unter den lauwarmen Reis mischen. Den Reis komplett abkühlen lassen.

- Das Wasabipulver mit einem Esslöffel Wasser zu einer dicken Paste anrühren. Die Algenblätter längs halbieren. Ein Blatt mit der glänzenden Seite auf eine Bambusmatte legen. Mit feuchten Händen ein Viertel vom Reis auf dem Blatt verteilen und flach drücken; auf die untere Längsseite etwas Wasabipaste streichen und darauf zwei Gurkenstreifen legen. Das Algenblatt mit der Füllung mithilfe der Bambusmatte fest einrollen und gut festdrücken.

- Diesen Vorgang einmal mit Gurke und zweimal mit Thunfisch wiederholen, sodass insgesamt vier Rollen entstehen. Jede Rolle in sechs Stücke schneiden und mit restlichem Wasabi, Sojasauce und eingelegtem Ingwer servieren.

Variante: Wer im Rollen nicht so versiert ist, kann eine **einfachere Sushi-Variante** zubereiten:
Den Reis wie angegeben kochen. Je 100 Gramm Lachsfilet und Thunfischfilet in sechs dünne Scheiben schneiden. Mit feuchten Händen aus dem Reis jeweils sechs ovale Klöße formen und mit den Fischscheiben belegen.

Tatarbällchen mit Shisokresse

Einfach köstlich, frisch zubereitetes Rindertatar im knackigen Chicoréeblatt.

Zubereitung: 30 Minuten
Für 6 Servierlöffel

Zutaten

250 g Rinderfilet
5 Stängel glatte Petersilie
1 Schalotte
3 Cornichons
2 sehr frische Eigelb
1 TL Dijonsenf
2–3 Spritzer Worcestersauce
Salz | Pfeffer
1–2 Spritzer Tabasco
1 cl Cognac
6 Chicoréeblattspitzen
1 Kästchen Shisokresse

- Das Rinderfilet in sehr dünne Scheiben schneiden, dann würfeln und sehr fein hacken. Die Petersilie waschen und trocken schütteln, die Blätter abzupfen und hacken. Die Schalotte schälen und mit den Cornichons fein würfeln. Die Eigelbe mit Senf, Petersilie, Schalotte und Cornichons in einer Schüssel mit einer Gabel gut vermengen.

- Das gehackte Fleisch gleichmäßig untermengen und mit Worcestersauce, Salz, Pfeffer, Tabasco und dem Cognac würzen. Mit feuchten Händen aus dem Teig sechs Bällchen formen und mit den Chicoréespitzen auf Löffeln anrichten. Die Kresse abschneiden und darüberstreuen.

Tipp: Das Tatar sollten Sie unmittelbar nach der Zubereitung servieren. Versuchen Sie das Rezept auch einmal mit gehacktem Kalbs- oder Lachsfilet.

Asiatisches Thunfischtatar

Das sollten Sie unbedingt ausprobieren. Damit lassen sich auch die anspruchsvollsten Gäste beeindrucken.

Zubereitung: 15 Minuten
Für 10 Servierlöffel

Zutaten

500 g sehr frisches Thunfischfilet
1 milde rote Chilischote
4 Frühlingszwiebeln
1 Stück frischer Ingwer (20 g)
5 Stängel Koriander
1 EL Sesamsamen
2–3 EL Limettensaft
2 EL helle Sojasauce

- Die Chilischote waschen, halbieren, entkernen und sehr fein schneiden. Die Frühlingszwiebeln putzen, waschen und in sehr feine Ringe schneiden. Den Ingwer schälen und sehr fein würfeln.

- Den Thunfisch in winzig kleine Würfel schneiden. Den Koriander waschen und trocken schütteln, die Blättchen abzupfen und fein hacken. Alle Zutaten in einer Schüssel mischen, die Sesamsamen unterrühren. Das Tatar mit Limettensaft und Sojasauce würzen. Auf zehn Servierlöffel verteilen und sofort servieren.

Marinierte Jakobsmuscheln in knuspriger Kartoffelscheibe

Feine Zutaten, kein Firlefanz – diese Knusperhäppchen passen ausgezeichnet zu einem Glas Champagner oder Sekt.

Zubereitung: 50 Minuten
Für 12 Stück

Zutaten

12 Jakobsmuscheln
1 Zweig Rosmarin
1 milde rote Chilischote
3 EL Olivenöl
30 g Parmesan, frisch gerieben
abgeriebene Schale von 1 Bio-Limette
1 EL Limettensaft
2 große vorwiegend festkochende Kartoffeln (je etwa 300 g)
Öl zum Ausbacken
grobes Meersalz

Außerdem
nach Belieben Bio-Limettenscheiben zum Servieren

- Den Rosmarin waschen und trocken schütteln, die Nadeln abzupfen und fein hacken. Die Chilischote waschen, halbieren, entkernen und fein würfeln. Beides mit dem Olivenöl, dem Parmesan, der Limettenschale und dem -saft verrühren. Die Jakobsmuscheln mit der Marinade in einen Gefrierbeutel geben und im Kühlschrank 10 Minuten marinieren.

- Inzwischen die Kartoffeln schälen und der Länge nach auf dem Gemüsehobel oder mit der Aufschnittmaschine in ein bis zwei Millimeter dünne Scheiben schneiden. Die Jakobsmuscheln aus der Marinade nehmen und etwas Flüssigkeit abtupfen. Jede Muschel mit zwei Kartoffelscheiben umwickeln und mit Holzstäbchen feststecken.

- Das Öl auf 170 °C erhitzen, die Päckchen trocken tupfen und im Öl portionsweise 3–4 Minuten goldbraun ausbacken. Auf Küchenpapier entfetten lassen, leicht salzen und sofort servieren. Nach Belieben jede Jakobsmuschel in der Kartoffelscheibe auf eine dünne Limettenscheibe setzen.

Variante: Anstelle von Jakobsmuscheln können Sie natürlich auch **festfleischige Fischsorten** verwenden, wie zum Beispiel Seeteufel, Lachs, Zander oder Thunfisch.

Tipp: Nehmen Sie für dieses Rezept vorwiegend festkochende Kartoffeln, die werden am knusprigsten.

Lachsröllchen mit pikanter Quarkfüllung

Der Kräuterquark mit Meerrettich harmoniert perfekt mit dem Raucharoma vom Lachs.

Zubereitung: 45 Minuten
Für 12 Röllchen

Zutaten

12 große Scheiben Räucherlachs
250 g Quark (Magerstufe)
1 Bund Dill
1 Kästchen Kresse
30 g frischer Meerrettich
1 EL Zitronensaft
Salz | Pfeffer
12 Halme Schnittlauch
3 Bio-Zitronen

▌Den Quark in einem Tuch leicht ausdrücken. Den Dill waschen und trocken schütteln, bis auf ein paar Stängel fein schneiden. Die Kresse abschneiden. Den Meerrettich schälen und fein reiben. Dill, Kresse und den Großteil vom Meerrettich mit dem Quark, dem Zitronensaft, Salz und Pfeffer verrühren.

▌Die Lachsscheiben nebeneinanderlegen. Den Kräuterquark in einen Spritzbeutel mit dünner Lochtülle füllen und einen schmalen Streifen jeweils auf eine Längsseite jeder Lachsscheibe spritzen. Von der Längsseite aufrollen und mit Schnittlauchhalmen zusammenbinden.

▌Die Bio-Zitronen heiß waschen und in dünne Scheiben schneiden. Jedes Lachsröllchen auf eine Zitronenscheibe setzen und mit dem übrigen Meerrettich und beiseitegelegten Dill garnieren.

Mangoldpäckchen mit Champignonfüllung

Mangoldblätter schützen die feinen Aromen der darin verpackten Zutaten.

Zubereitung: 40 Minuten
Garen: 20–25 Minuten
Für 6 Stück

Zutaten

12 große Mangoldblätter
Salz | 300 g Kartoffeln
150 g Champignons
2 Zwiebeln
4 EL Öl
frisch gemahlener Pfeffer
frisch geriebene Muskatnuss
200 ml Gemüsebrühe

Außerdem
Butter für die Form
Crème fraîche zum Servieren

▌Mangold waschen. Die dicken Stiele abschneiden und in fünf Millimeter große Würfel schneiden. Die Blätter in sprudelnd kochendem Salzwasser 1–2 Minuten blanchieren, kalt abschrecken und abtropfen lassen. Kartoffeln schälen und in fünf Millimeter große Würfel schneiden. Champignons putzen und grob hacken. Zwiebeln schälen und fein würfeln. Kartoffeln im heißen Öl bei mittlerer Hitze 5 Minuten unter Rühren braten.

▌Mangoldstiele, Champignons und Zwiebeln dazugeben und 6–8 Minuten braten, bis alle Flüssigkeit verdampft ist. Mit Salz, Pfeffer und Muskatnuss kräftig würzen und abkühlen lassen. Den Backofen auf 200 °C vorheizen. Die Mangoldblätter trocken tupfen. Jeweils zwei Blätter überlappend nebeneinanderlegen. Darauf je drei Esslöffel Füllung verteilen und die Längsseiten der Blätter über die Füllung legen, dann die Blätter von der kurzen Seite her aufrollen.

▌Die Päckchen in eine gebutterte Auflaufform setzen. Die Brühe dazugießen und die Form mit Alufolie abdecken. Im heißen Ofen auf der zweiten Schiene von unten 20–25 Minuten garen. Die Päckchen warm oder kalt mit Crème fraîche servieren.

Entenleberparfait mit Thymian-Apfel-Gelee

Im trendigen Gläschen ein äußerst feiner Partysnack. Dazu harmoniert das würzige Thymian-Apfel-Gelee.

Zubereitung: 40 Minuten
Garen: 30 Minuten
Kühlen: 12 + 2 Stunden
Für 8 Gläser

Zutaten

200 g Butter
300 g Entenleber
2 Schalotten
6 EL Portwein
1 TL getrockneter Majoran
4 Eigelb
200 ml Sahne
Salz
frisch gemahlener Pfeffer
7 Blatt weiße Gelatine
500 ml Apfelsaft
8 Zweige Thymian

Außerdem
8 Einmachgläser mit Deckel (je 200 ml Inhalt)

- Die Butter in einem Topf zerlassen und handwarm abkühlen lassen. Die Entenleber putzen und grob zerkleinern. Die Schalotten schälen und in Würfel schneiden. Beides mit Portwein, Majoran, Eigelben, Sahne und der flüssigen Butter im Mixer oder mit dem Pürierstab auf höchster Stufe fein pürieren. Den Backofen auf 200 °C vorheizen und das tiefe Blech auf die zweite Schiene von unten schieben. Wasser hineingießen.

- Das Püree kräftig mit Salz und Pfeffer würzen und durch ein feines Sieb streichen. Die Portionsgläser ein Viertel hoch damit füllen und die Deckel aufsetzen. Das Püree im heißen Wasserbad im Ofen 30–35 Minuten garen.

- Das Parfait abkühlen lassen und für 12 Stunden kalt stellen. Die Gelatine in kaltem Wasser einweichen. 100 Milliliter Apfelsaft erhitzen und die ausgedrückte Gelatine darin auflösen. Mit dem restlichen Apfelsaft verrühren und mit Salz und Pfeffer würzen.

- Den Thymian waschen und trocken schütteln, die Blätter abzupfen und auf das Parfait streuen. Das Apfelgelee gleichmäßig über das Parfait gießen und nochmals für 1–2 Stunden kalt stellen.

Tipp: Das Parfait ist sehr gehaltvoll, daher reicht es, die Gläser nur ein Viertel hoch zu füllen.
Servieren Sie frisches Baguette dazu! Sie können statt Entenleber auch Geflügelleber verwenden.

Lammfilet im Wrap

Zartes Lammfilet, Salat, ein pikanter Joghurtdip – fertig ist der Lieblingswrap.

Zubereitung: 50 Minuten
Für 6 Stück

Zutaten

4 Lammfilets (je 80 g)
4 Tortillafladen (Fertigprodukt)
250 g Sahnejoghurt
Salz | Pfeffer
1–2 EL Zitronensaft
1–2 TL Harissa
1–2 Karotten
1 Römersalatherz
2 EL Öl zum Braten
1 EL gehackte Rosmarinnadeln
Außerdem
Holzspießchen

Den Joghurt mit Salz, Pfeffer, Zitronensaft und Harissa glatt rühren. Die Karotten schälen und in dünne Scheiben hobeln. Den Salat putzen, waschen und die Blätter ablösen. Die Tortillafladen nach Packungsangabe aufbacken und mit je einem Esslöffel Joghurt bestreichen.

Die Lammfilets mit Salz und Pfeffer würzen und in einer Pfanne im heißen Öl rundherum 3–4 Minuten braten. Mit dem gehackten Rosmarin würzen. Die Tortillafladen mit Karottenscheiben, je einem Salatblatt und einem Lammfilet belegen und aufrollen.

Die Wraps fest in Frischhaltefolie einwickeln und 5 Minuten ruhen lassen. Die Folie entfernen, jeden Wrap mit Spießchen fixieren und in Scheiben schneiden. Mit dem restlichen Joghurtdip servieren.

Hähnchensalat mit Fenchel und Ingwer

Zartes Hähnchenbrustfilet in Zitrusdressing ist nicht nur köstlich, sondern auch kalorienarm!

Für 6 Portionen
Zubereitung: 40 Minuten

Zutaten

300 g Hähnchenbrustfilet
Salz | Pfeffer
2 EL Öl
2 EL Zitronensaft
4 EL Orangensaft
1 EL flüssiger Honig
10 g Ingwer, frisch gerieben
5 EL Olivenöl
1 Fenchelknolle (etwa 250 g)
5 Stängel Minze
6 Taccoshells

Den Backofen auf 120 °C vorheizen. Das Hähnchenbrustfilet abwaschen und trocken tupfen. Mit Salz und Pfeffer würzen und in einer Pfanne im heißen Öl rundherum braun anbraten. Im heißen Ofen weitere 20–25 Minuten weitergaren.

Inzwischen Zitronensaft, Orangensaft, Honig, Ingwer, Salz, Pfeffer und Olivenöl verrühren. Den Fenchel putzen, waschen, längs halbieren und in dünne Scheiben hobeln. Das gegarte Hähnchenbrustfilet in dünne Streifen schneiden, mit dem Fenchel und dem Dressing mischen und 10 Minuten bei Zimmertemperatur ziehen lassen.

Minze waschen und trocken schütteln, die Blättchen abzupfen, in Streifen schneiden und unter den Salat heben. Den Salat auf die Taccoshells verteilen und sofort servieren.

Tipp: Sie können den Salat auch in kleinen Gläsern servieren.

Morchel-Cappuccino

So wird aus einer einfachen Kartoffelsuppe eine absolut unvergessliche Delikatesse!

Zubereitung: 40 Minuten
Für 6–8 Gläser

Zutaten

20 g getrocknete Spitzmorcheln
300 g Kartoffeln
2 Zwiebeln
30 g Butter
500 ml Gemüsebrühe
150 ml Sahne
Salz
frisch gemahlener Pfeffer

- Die Morcheln in 200 Milliliter heißem Wasser 20 Minuten einweichen. Kartoffeln und Zwiebeln schälen, beides würfeln und in der Butter glasig braten. Mit der Brühe ablöschen. Zugedeckt bei mittlerer Hitze 10 Minuten kochen lassen.

- Die Morcheln im Einweichwasser gut ausdrücken. Einige Morcheln zum Garnieren beiseitelegen, den Rest klein hacken. Die Einweichflüssigkeit durch ein mit Küchenpapier ausgelegtes Sieb gießen, damit der Sand gefiltert wird. Morcheln und die Flüssigkeit zur Suppe geben und weitere 10 Minuten kochen lassen.

- Die Sahne halbsteif schlagen. Die Suppe im Mixer fein pürieren und mit Salz und Pfeffer kräftig würzen. In Gläser füllen, mit der Sahne und den beiseitegelegten Morcheln garnieren.

Tafelspitzsülze mit Gemüse

Leicht, fein und delikat – und lässt sich auch noch prima vorbereiten!

Zubereitung: 1 Stunde
Garen: 2 Stunden
Kühlen: mindestens 3 Stunden
Für 6–8 Gläser

Zutaten

700 g Tafelspitz
1,5 l Gemüsebrühe
180 g Knollensellerie
100 g Karotten
120 g Lauch | Salz
12 Blatt weiße Gelatine
frisch gemahlener Pfeffer
100 ml weißer Balsamicoessig
1–2 TL Zucker
30 g Meerrettich, frisch gerieben
4 TL Schnittlauchröllchen

- Den Tafelspitz in der Gemüsebrühe offen 2 Stunden garen, zwischendurch abschäumen. Die Gemüse putzen und schälen bzw. waschen, in feine Streifen schneiden und in kochendem Salzwasser 2–3 Minuten blanchieren. Abgießen und kalt abschrecken.

- Den Tafelspitz herausnehmen und das Fett abschneiden. Das Fleisch fein würfeln. Die Gelatine in kaltem Wasser einweichen. Die Brühe durch ein mit Küchenpapier ausgelegtes Sieb in einen anderen Topf gießen und auf einen Liter einkochen lassen.

- Gelatine ausdrücken und in der nicht mehr kochenden Brühe auflösen. Mit Salz, Pfeffer, Essig und Zucker würzen, abkühlen lassen. Fleisch und Gemüse auf Gläser verteilen. So viel Sud dazugießen, dass die Zutaten bedeckt sind. Die Sülze mindestens für 3 Stunden, am besten über Nacht, kalt stellen. Mit Meerrettich und Schnittlauch bestreut servieren.

Tipp: Sie können die Sülze auch in einer Kastenform (zwei Liter Inhalt) gelieren lassen und in Scheiben geschnitten servieren.

Garnelenspieße mit Avocado-Limetten-Creme

Die feinen Spieße machen richtig was her – und gelingen dabei ganz leicht!

Zubereitung: 35 Minuten
Für 4 Spieße

Zutaten

12 rohe Riesengarnelen ohne Kopf und Schale (je etwa 20 g)
2 reife Avocados
1 EL Zitronensaft
abgeriebene Schale von 1 Bio-Limette
2 EL Limettensaft
100 g Schmant
Salz
frisch gemahlener Pfeffer
150 g Strauchtomaten
1 rote Zwiebel
4–6 Stängel Koriandergrün
2 EL Öl zum Braten
abgeriebene Schale von 1 Bio-Zitrone
1 EL Schnittlauchröllchen

Außerdem

Schaschlikspieße

- Die Garnelen am Rücken leicht einschneiden und den Darm mit einem spitzen Messer entfernen. Jeweils drei Garnelen auf einen Spieß stecken und bis zum Braten abgedeckt kühl stellen. Die Avocados halbieren, den Stein entfernen und das Fruchtfleisch herauslöffeln. Die Schalen mit etwas Zitronensaft auspinseln und beiseitelegen.

- Das Fruchtfleisch mit Limettenschale und -saft, Schmant, Salz und Pfeffer pürieren. Die Tomaten waschen und halbieren, die Stielansätze und Kerne entfernen. Die Zwiebeln schälen, beides würfeln und bis auf einen Esslöffel unter die Avocadocreme rühren. Den Koriander waschen, trocken schütteln, hacken und dazugeben. Die Creme auf die Avocadoschalen verteilen.

- Die Garnelenspieße mit Küchenpapier trocken tupfen und im heißen Öl auf jeder Seite 2 Minuten braten. Mit Salz, Pfeffer und Zitronenschale würzen, mit Schnittlauch bestreuen und mit der Avocado-Limetten-Creme servieren.

Tipp: Nehmen Sie am besten die **dunkelschalige Hass-Avocado**, sie ist deutlich weicher als die grünschalige Avocado und hat einen fein-nussigen Geschmack. Sie können die Avocado-Limetten-Creme ohne Garnelenspieß für acht Personen als Kleinigkeit im Glas servieren.

Gefüllte Tomaten mit Muskatnusscroûtons

Einfach unwiderstehlich! Knusprige Croûtons mit geschmolzenem Mozzarella in fruchtiger Tomate. Für eine große gemüsehungrige Runde.

Zubereitung: 1 Stunde
Für 12 Stück

Zutaten

6 Scheiben Toastbrot
80 g Butter
Salz
frisch gemahlener Pfeffer
frisch geriebene Muskatnuss
12 Fleischtomaten
300 g Mozzarella
2 EL gehackte Rosmarinnadeln
3 EL Weißweinessig
8 EL Olivenöl

- Vom Toastbrot die Rinde abschneiden. Das Brot in ein Zentimeter große Würfel schneiden. Die Butter in einer Pfanne erhitzen und die Würfel darin goldbraun braten. Mit Salz, Pfeffer und Muskat würzen. Die Tomaten waschen, den Deckel (mit dem Stielansatz) abschneiden und das Fruchtfleisch mit einem Löffel herauskratzen.

- Die Tomaten innen mit Küchenpapier trocken tupfen und mit Salz und Pfeffer würzen. Den Mozzarella in ein Zentimeter große Würfel schneiden und mit Rosmarin, Essig, Salz, Pfeffer und zwei Esslöffeln Olivenöl vermischen. 15 Minuten marinieren. Den Backofen auf 180 °C vorheizen.

- Den gewürzten Mozzarella in einem mit Küchenpapier ausgelegten Sieb abtropfen lassen, mit den Croûtons mischen und in die Tomaten füllen. Die Tomaten auf ein mit Backpapier ausgelegtes Backblech setzen und im heißen Ofen auf der zweiten Schiene von unten 15–20 Minuten garen. Mit dem restlichen Olivenöl beträufeln und servieren.

Tipp: Im Sommer sollten Sie für dieses Gericht unbedingt die hocharomatischen **Ochsenherztomaten** verwenden. Die lassen sich dann in einer Aluschale auf dem Grill zubereiten.

Vegetarisch

Keine Lust auf Fleisch und Fisch? In diesem Kapitel werden auch all diejenigen fündig, die sich lieber fleischlos ernähren, aber nicht auf *kulinarische Freuden* verzichten möchten.

Sesam-Kartoffel-Spieße, knusprige Frühlingsrollen, gefüllte Minipaprika und saftige Auberginenschnitzel in Parmesankruste *bringen nicht nur Vegetarier ins Schwärmen*. Langeweile bei vegetarischem Fingerfood war gestern, versprochen!

Sesam-Kartoffel-Spieße mit Sour Cream

Die kleinen Kartoffeln sind auch mit Schale super lecker, und sie brauchen nur ganz wenig Fett, um knusprig zu werden.

Zubereitung: 30 Minuten
Für 6–8 Portionen

Zutaten

2 EL Sesamsamen
800 g kleine Bio-Kartoffeln mit dünner Schale (Drillinge)
1 EL grobes Meersalz
4 EL Olivenöl
1 Bund Schnittlauch
400 g Sour Cream
Salz | Pfeffer
abgeriebene Schale von 1 Bio-Zitrone
Außerdem
Holzspießchen

▌Den Backofen auf 180 °C vorheizen. Die Kartoffeln waschen, eventuell bürsten und längs halbieren. Mit Meersalz, Sesam und Olivenöl in einen Gefrierbeutel geben und gut mischen. Ein Backblech mit Backpapier auslegen und die Kartoffelhälften mit der Schnittseite nach unten darauf verteilen.

▌Im heißen Ofen auf der zweiten Schiene von unten 15–20 Minuten goldbraun backen. Inzwischen den Schnittlauch waschen, in Röllchen schneiden und mit der Sour Cream verrühren. Mit Salz, Pfeffer und Zitronenschale würzen. Die Kartoffelhälften auf Holzspießchen stecken und mit der Sour Cream servieren.

Tipp: Verwenden Sie für die Spieße **Bio-Kartoffeln**. Bei dieser trockenen Garmethode können konventionell angebaute Kartoffeln muffig schmecken, weil der Stickstoff aus dem Dünger nicht herausgewaschen wird.

Lauchquiche mit Gorgonzola

Der Lauch wird umhüllt von Gorgonzola-Eiersahne. Als spannender Kontrast dazu: knuspriger Blätterteig.

Zubereitung: 40 Minuten
Backen: 35–40 Minuten
Für 12 Stück

Zutaten

800 g Lauch
200 g tiefgekühlter Blätterteig
2 EL Öl
150 g Crème fraîche
100 ml Sahne
3 Eier (Größe M)
200 g Gorgonzola
Salz | Pfeffer
Muskatnuss

▌Den Blätterteig auftauen lassen. Den Lauch putzen, waschen und in Ringe schneiden. Im heißen Öl 5 Minuten anbraten. Crème fraîche, Sahne und Eier verquirlen. Den Gorgonzola zerkrümeln, unterrühren und mit Salz, Pfeffer und Muskatnuss würzen. Den Backofen auf 200 °C vorheizen.

▌Eine Tarteform (30 Zentimeter Durchmesser) fetten und mit Mehl ausstäuben. Den Blätterteig auf die Größe der Form ausrollen, in die Form drücken und mit einer Gabel mehrmals einstechen. Im heißen Ofen auf der zweiten Schiene von unten 3 Minuten backen.

▌Die Lauchringe auf dem Teig verteilen, die Käse-Eier-Mischung dazugießen. Die Tarte in 35–40 Minuten goldbraun backen. Sie schmeckt heiß oder lauwarm.

Variante: Versuchen Sie diese Tarte doch auch einmal mit **800 Gramm Hokkaidokürbis**. Diesen brauchen Sie nicht vorher anzudünsten.

Orangen-Fenchel-Salat im Chicorée-Schiffchen

Dieser fruchtig-leichte Salat ist auch eine feine Vorspeise vor einem gehaltvolleren Hauptgang.

Zubereitung: 30 Minuten
Für 6 Portionen

Zutaten

3 Orangen
300 g Fenchel
2 rote Zwiebeln
100 g Kopfsalat
4 Stängel Dill
2 TL Senf
2–3 EL Zitronensaft
Salz
frisch gemahlener Pfeffer
1 Staude Chicorée
1 EL rosa Pfeffer

▌Die Orangen über einer Schüssel mit einem Messer so schälen, dass die weiße Haut vollständig entfernt wird, den Saft dabei auffangen. Die Filets zwischen den Trennhäuten herausschneiden und in Stücke schneiden. Zwiebeln schälen, halbieren und in dünne Streifen schneiden.

▌Den Fenchel putzen, waschen, halbieren und in dünne Scheiben schneiden. Den Kopfsalat waschen, trocken schleudern und in Streifen schneiden. Den Dill waschen und trocken schütteln, bis auf einen Stängel fein schneiden und mit dem aufgefangenen Orangensaft, Senf, Zitronensaft, Salz und Pfeffer würzen. Alle Zutaten unter das Dressing mischen.

▌Den Chicorée waschen, den Strunk herausschneiden und die Blätter ablösen. Auf Schälchen verteilen, den Salat darin anrichten und mit dem rosa Pfeffer und dem übrigen Dill garnieren.

Apfel-Mozzarella-Sandwich

Sandwiches sind ideal für Kreative, sie können immer neue Kombinationen ausprobieren.

Zubereitung: 40 Minuten
Für 12 Stück

Zutaten

2 Äpfel
3 Mozzarella (je 125 g)
1 Zweig Rosmarin
12 Scheiben Sandwichtoast
6 TL Basilikumpesto

Außerdem
Fett für den Sandwichmaker

▌Den Mozzarella abtropfen lassen und in Scheiben schneiden. Die Äpfel schälen, halbieren und das Kerngehäuse herausschneiden. Die Apfelhälften in dünne Scheiben schneiden. Den Rosmarin waschen und trocken schütteln, die Nadeln abzupfen und fein hacken.

▌Jede Brotscheibe mit einem halben Teelöffel Pesto bestreichen, sechs Brotscheiben mit Apfelscheiben belegen. Den Rosmarin darüberstreuen und mit Mozzarella belegen. Die übrigen Brotscheiben auflegen und leicht andrücken.

▌Die beiden Platten des Sandwichmakers leicht einfetten, dann das Gerät vorheizen. Die Brote portionsweise 6–8 Minuten goldbraun backen. Herausnehmen, diagonal halbieren und sofort servieren.

Tipp: Wenn Sie keinen Sandwichmaker haben, toasten Sie das Brot vor, legen dann die Sandwiches auf ein mit Backpapier belegtes Backblech und backen sie im 220 °C heißen Backofen 4–6 Minuten.

Frühlingsrollen mit Sojasauce

Die knusprigen Gemüseröllchen taucht man in die pikant gewürzte Sojasauce. Ob mit den Fingern oder Stäbchen, bleibt jedem selbst überlassen.

Zubereitung: 1 Stunde
Für 16 Stück

Zutaten

4 Blätter Frühlingsrollenteig (15 × 15 cm)
100 g Chinakohl
100 g Lauch
100 g Karotte
2 Knoblauchzehen
3 EL Erdnussöl
½ Bund Koriandergrün
100 ml Sojasauce
3 EL süßsaure Chilisauce
1 Eiweiß
Wasabipaste nach Geschmack
1 EL Schnittlauchröllchen

Außerdem

Öl zum Frittieren

- Für die Füllung den Chinakohl und den Lauch putzen und waschen, die Karotte putzen und schälen und alles in sehr feine Streifen schneiden. Den Knoblauch schälen, fein hacken und im Erdnussöl glasig anbraten. Alle drei Gemüse zugeben und etwa 2 Minuten knackig anbraten.

- Den Koriander waschen, trocken schütteln und klein hacken. Unter das Gemüse rühren und alles mit zwei Esslöffeln Sojasauce und der süßsauren Chilisauce würzen.

- Jedes Teigblatt vierteln, sodass 16 Quadrate entstehen. Das Eiweiß leicht verschlagen und die Teigränder damit einpinseln. Je einen Esslöffel Füllung unten auf jedes Teigblatt geben, dabei unten und seitlich einen ein Zentimeter breiten Rand frei lassen. Die Seitenränder über die Füllung klappen und den Teig von unten beginnend aufrollen. Fertige Röllchen auf Backpapier legen.

- Die restliche Sojasauce mit der Wasabipaste und dem Schnittlauch verrühren. Das Öl in einem Topf oder einer Fritteuse auf 180 °C erhitzen und die Frühlingsrollen darin portionsweise 4 – 5 Minuten goldbraun frittieren. Auf Küchenpapier entfetten und mit der pikanten Sauce servieren.

Tipp: Die Röllchen lassen sich roh gut einfrieren. Bei Bedarf unaufgetaut 6 – 8 Minuten frittieren.

Minipaprika mit Käse-Kräuter-Creme

Frisch und kräftig: Ziegenfrischkäse mit vielen Kräutern würzt die kleinen Paprika.

Zubereitung: 25 Minuten
Für 12 Stück

Zutaten

6 bunte Minipaprikaschoten
Salz
frisch gemahlener Pfeffer
1 Bund Kerbel
1 Bund Basilikum
1 Knoblauchzehe
3 EL Olivenöl
250 g Ziegenfrischkäse
2 EL Magermilchjoghurt
abgeriebene Schale von 1 Bio-Zitrone
1–2 EL Zitronensaft
½ milde rote Chilischote
20 g Parmesan, frisch gerieben

- Die Paprika waschen und der Länge nach halbieren, die Samen und die Scheidewände entfernen. Die Paprikahälften mit Salz und Pfeffer würzen und beiseitelegen.
- Kerbel und Basilikum waschen und trocken schütteln, die Blättchen abzupfen und fein hacken. Den Knoblauch schälen und durch die Presse drücken. Kräuter und Knoblauch mit dem Öl pürieren und mit Frischkäse, Joghurt, Zitronenschale und -saft verrühren. Mit Salz und Pfeffer würzen.
- Die Chilischote waschen und in Streifen schneiden. Die Creme in einen Spritzbeutel füllen und in die vorbereiteten Paprikahälften spritzen. Mit Chilischote und Parmesan bestreut servieren.

Tipp: Für eine ganz schnelle Variante können Sie mit der Käse-Kräuter-Creme **Kräcker-Sandwiches** machen. Dazu benötigen Sie eine Packung Salzkräcker (200 Gramm). Auf die Hälfte der Kräcker spritzen Sie die Creme und setzen die restlichen als Deckel darauf.

Variante: Für **Minipaprika mit Gorgonzola-Nuss-Füllung** die Paprikaschoten vorbereiten wie oben beschrieben. Sechs Walnusshälften fein hacken. 50 Gramm Gorgonzola klein würfeln und mit 50 Gramm Frischkäse mit einer Gabel vermischen. Den Gorgonzola dabei gut zerdrücken. Die gehackten Nüsse unterheben und die Füllung mit Salz, Pfeffer und zwei Teelöffeln Zitronensaft würzen. In einen Spritzbeutel füllen und wie oben in die vorbereiteten Paprikahälften spritzen.

Kalte Avocado-Joghurt-Suppe mit Zitrone

Zitronenschale und Basilikum verleihen dieser Suppe viel Frische.

Zubereitung: 20 Minuten
Für 6 Gläser

Zutaten

2 Avocados
500 g griechischer Joghurt (10 % Fett)
5 Stängel Basilikum
300 ml Mineralwasser
abgeriebene Schale von 2 Bio-Zitronen
3–4 EL Zitronensaft
Salz
frisch gemahlener Pfeffer
Zucker

▮ Das Basilikum waschen und trocken schütteln, die Blätter abzupfen und in Streifen schneiden. Die Avocados halbieren, die Steine entfernen, das Fruchtfleisch herauslöffeln und mit dem Basilikum in einen großen Mixbecher geben. Zusammen mit dem Joghurt, Mineralwasser, der Hälfte der Zitronenschale und dem Zitronensaft fein pürieren.

▮ Die Suppe mit Salz, Pfeffer und einer Prise Zucker würzen und für 20 Minuten zugedeckt kalt stellen. Die Suppe auf sechs Gläser verteilen und mit der restlichen Zitronenschale und Pfeffer bestreut servieren.

Tipp: Wenn Sie keinen griechischen (oder türkischen) Joghurt bekommen, mischen Sie 250 Gramm Naturjoghurt (3,5 Prozent Fett) mit 250 Gramm Crème fraîche.

Wrap mit mariniertem Gemüsesalat

Schmeckt sensationell und ist noch dazu gesund: fein geschnittenes Gemüse in asiatischer Marinade.

Zubereitung: 1 Stunde
Für 6 Wraps

Zutaten

6 Tortillafladen (Fertigprodukt)
2–3 Knoblauchzehen
1 Stück frischer Ingwer (30 g)
2 EL Sesamsamen
6 EL Sojasauce
1 EL Sesamöl | 1 TL Chiliöl
½ Bund Koriandergrün
400 g Kohlrabi
300 g dicke Karotten
300 g Zucchini

▮ Für die Marinade den Knoblauch und den Ingwer schälen und beides fein hacken. Mit Sesam, Sojasauce, Sesam- und Chiliöl verrühren. Den Koriander waschen und trocken schütteln, die Blätter abzupfen, fein hacken und unterrühren.

▮ Kohlrabi und Karotten putzen und schälen, Zucchini putzen und waschen. Alles in sehr feine Streifen schneiden und mit der Marinade mischen. Die Tortillafladen unten etwa zu einem Viertel umklappen, dann tütenförmig aufrollen und in sechs Gläser stellen. Die Ränder etwas auseinanderdrücken und den Salat einfüllen.

Blätterteig-Käse-Stangen

Der ideale Imbiss zu einem Glas Wein: knusprige Käsestangen.

Zubereitung: 20 Minuten
Für 12 Stück

Zutaten

275 g Blätterteig aus dem Kühlregal (1 Rolle)
1 Eiweiß
60 g Parmesan, frisch gerieben
frisch gemahlener Pfeffer

- Den Backofen auf 200 °C vorheizen. Den Blätterteig auf dem Backpapier ausrollen und längs in zwölf Streifen schneiden. Gleichmäßig mit dem Eiweiß bepinseln und mit Parmesan und Pfeffer bestreuen. Die Teigstreifen von beiden Enden her mehrmals gegeneinanderdrehen.

- Die Teigstreifen im heißen Ofen auf der zweiten Schiene von unten 6–8 Minuten goldbraun backen.

Variante: Sie können die Blätterteig-Käse-Stangen auch mit **Sesamsamen** oder **Kümmel** bestreuen.

Gemüse-Polenta-Würfel

Die Aromen Italiens stecken in diesen Würfeln: Knoblauch, Zucchini, Parmesan und Thymian.

Zubereitung: 50 Minuten
Für 16 Stück

Zutaten

120 g Karotten
120 g Zucchini
500 ml Gemüsebrühe
100 g Maisgrieß (Polenta)
6 Zweige Thymian
Salz
frisch gemahlener Pfeffer
50 g Parmesan, frisch gerieben
50 g zerlassene Butter
Außerdem
Fett für die Form
Salatblättchen zum Servieren

- Karotten putzen und schälen, Zucchini putzen und waschen. Beides sehr fein würfeln. Die Brühe aufkochen und die Gemüsewürfel hineingeben. Den Maisgrieß einstreuen und unter Rühren bei geringer Hitze 5 Minuten ausquellen lassen. Thymian waschen und trocken schütteln, die Blätter abzupfen und fein hacken. Den Maisgrieß mit Thymian, Salz und Pfeffer würzen. Etwas Thymian zum Garnieren beiseitelegen.

- Die Masse in eine gefettete rechteckige Auflaufform (20 × 20 Zentimeter) füllen und 10 Minuten abkühlen lassen. Den Backofen auf 200 °C vorheizen. Die Polentamasse mit dem Parmesan bestreuen und mit der Butter beträufeln. Im heiße Ofen auf der zweiten Schiene von unten 10–15 Minuten backen. Die Polenta in 16 Würfel schneiden, mit Thymian garnieren und auf Salatblättchen servieren.

Variante: Wer es scharf mag, gibt noch eine fein geschnittene Chilischote in die Brühe.

Ratatouille mit Basilikum

Lauwarm serviert entfalten sich die feinen Aromen dieser Ratatouille am besten.

Zubereitung: 50 Minuten
Für 12 Servierlöffel

Zutaten

200 g bunte Paprikaschoten
100 g Auberginen
200 g Zucchini
2 Zwiebeln
1–2 Knoblauchzehen
4 EL Olivenöl
200 g stückige Tomaten (aus der Dose)
4 Stängel Basilikum
Salz | Pfeffer | Zucker

- Die Paprikaschoten vierteln, Samen und Scheidewände entfernen und die Viertel mit dem Sparschäler schälen. Aubergine und Zucchini putzen und waschen. Zwiebeln schälen. Alle Gemüse sehr fein würfeln. Den Knoblauch schälen, fein hacken und mit den Gemüsewürfeln im heißen Olivenöl 3–4 Minuten glasig braten.

- Die Tomaten in einem Sieb abtropfen lassen und zum Gemüse geben. Basilikum waschen und trocken schütteln, die Blätter abzupfen und in Streifen schneiden, nach Belieben einige Blätter zum Garnieren ganz lassen und beiseitelegen. Tomaten zum Gemüse geben und 3–4 Minuten bei starker Hitze einkochen lassen.

- Die Ratatouille mit Salz, Pfeffer, Zucker und Basilikum herzhaft würzen. Auf zwölf Löffel verteilen und am besten lauwarm servieren. Nach Belieben mit Basilikumblättern garnieren.

Eierhäckerle mit Roter Bete, Apfel und Dill

Dieser bunte Vitamincocktail passt besonders gut zu herzhaftem Bauernbrot.

Zubereitung: 40 Minuten
Für 12 Servierlöffel

Zutaten

2 Eier
100 g vorgegarte Rote Bete | 1 Apfel
2 EL Zitronensaft
4 Stängel Dill
100 g Mayonnaise
150 g Magermilchjoghurt
Salz | Pfeffer | Zucker
1 EL Senf
1 rote Zwiebel

- Eier anpiksen und in kochendem Wasser zugedeckt 10 Minuten kochen. Kalt abschrecken, pellen und fein hacken. Die Rote Bete schälen und sehr fein würfeln. Den Apfel schälen, vierteln, vom Kerngehäuse befreien und ebenfalls sehr fein würfeln. Die Apfelwürfel sofort mit dem Zitronensaft mischen.

- Den Dill waschen, trocken schütteln und bis auf einige zarte Spitzen fein schneiden. Mit Mayonnaise, Joghurt, Salz, Pfeffer, 1 Prise Zucker und dem Senf glatt rühren. Die Zwiebel schälen, fein würfeln und mit den restlichen Zutaten unter die Sauce mischen. Zugedeckt bei Zimmertemperatur 15 Minuten durchziehen lassen. Das Häckerle auf die Löffel verteilen und mit den Dillspitzen garnieren.

Tipp: Vorgegarte Rote Bete bekommen Sie vakuumverpackt in jedem gut sortierten Supermarkt in der Gemüseabteilung.

Auberginenschnitzel mit Tomaten-Quark-Creme

Außen knusprig, innen saftig – ein fleischloser Schnitzelgenuss, den Sie unbedingt probieren müssen!

Zubereitung: 35 Minuten
Für 6 Portionen

Zutaten

500 g Auberginen
Salz
2 Eier
2 EL Sahne
frisch gemahlener Pfeffer
100 g Semmelbrösel
50 g Parmesan, frisch gerieben
2 Frühlingszwiebeln
30 g getrocknete Tomaten (in Öl)
150 g Sahnequark
150 g Sahnejoghurt
3–4 EL Ketchup
1–2 EL Zitronensaft
Cayennepfeffer

Außerdem

8 EL Öl zum Braten

- Die Auberginen waschen, putzen, in zwei Zentimeter dicke Scheiben schneiden und salzen. 5 Minuten ziehen lassen, bis sich an der Oberfläche Tröpfchen bilden. Die Eier mit Sahne, Salz und Pfeffer verquirlen, Semmelbrösel und Parmesan auf einem Teller mischen.

- Die Frühlingszwiebeln putzen, waschen und in Ringe schneiden. Die getrockneten Tomaten würfeln. Beides mit Quark, Joghurt und Ketchup verrühren und mit Zitronensaft, Salz, Pfeffer und Cayennepfeffer würzen.

- Die Auberginenscheiben mit Küchenpapier trocken tupfen. Die Scheiben erst durch die Eiersahne ziehen, etwas abtropfen lassen und dann in der Käse-Brösel-Mischung wenden, diese leicht andrücken.

- Das Öl in einer Pfanne erhitzen und die Auberginenscheiben darin portionsweise auf jeder Seite 2–3 Minuten goldbraun braten. Auf Küchenpapier entfetten und mit der Tomaten-Quark-Creme servieren.

Variante: Versuchen Sie das Rezept auch einmal mit **Zucchini** oder **Kohlrabi**. Kohlrabischeiben müssen vorher allerdings 2–3 Minuten in Salzwasser blanchiert werden.

Birnen-Trauben-Tartes

Sie duften verführerisch, sind knusprig und schmecken frisch aus dem Ofen am besten: Zu Bier oder Wein sind die Tartes die idealen Begleiter

Zubereitung: 40 Minuten
Für 4 Tartes

Zutaten

275 g Blätterteig aus dem Kühlregal (1 Rolle)
2 kleine feste Birnen
200 g helle und dunkle kernlose Trauben
2 Eier
100 ml Sahne
40 g Parmesan, frisch gerieben
frisch geriebene Muskatnuss
etwas Thymian zum Garnieren

- Den Blätterteig mit dem Backpapier abrollen und vier Kreise von je 14 Zentimeter Durchmesser ausschneiden. Die Teigkreise in vier kleine Tarteformen (12 Zentimeter Durchmesser) drücken und die Ränder glatt schneiden. Den Teig mit einer Gabel mehrfach einstechen. Den Backofen auf 200 °C vorheizen.

- Die Birnen waschen, mit der Schale vierteln und das Kerngehäuse entfernen. Die Viertel in Spalten schneiden. Die Trauben waschen und von den Stielen zupfen. Beides gleichmäßig auf dem Teig verteilen. Die Eier mit Sahne und Parmesan verquirlen und mit Salz, Pfeffer und Muskat würzen.

- Die Käsemasse gleichmäßig in die Förmchen gießen. Die Tartes im heißen Ofen auf der zweiten Schiene von unten 15–20 Minuten goldbraun backen. Etwas abkühlen lassen, aus den Förmchen nehmen, mit Thymian garnieren und sofort servieren.

Tipp: Wer es würziger mag, ersetzt den Parmesan durch die gleiche Menge **Gorgonzola**. Diesen vorab mit einer Gabel ein bisschen zerdrücken.

Variante: Für **Birnen-Trauben-Tartes mit Mürbeteig** 250 Gramm Mehl mit 150 Gramm Butter in Flöckchen, einem Ei (Größe M), einer Prise Salz und zwei Esslöffeln kaltem Wasser mit den Händen rasch zu einem glatten Teig verkneten. Den Teig zu einer Kugel formen, in Frischhaltefolie wickeln und für 1 Stunde im Kühlschrank kalt stellen. Den Mürbeteig auf einer bemehlten Arbeitsfläche ausrollen und wie im Rezept oben beschrieben ausstechen und weiterverarbeiten.

Tofuschaschlik mit Currydip

Die würzigen Tofuspieße werden durch den pikanten Currydip perfekt ergänzt.

Zubereitung: 30 Minuten
Für 6 Spieße

Zutaten

400 g Gemüsetofu
3 rote Zwiebeln
300 g bunte Paprikaschoten
Salz | Pfeffer
scharfes Paprikapulver
3 EL Orangensaft
2 TL mildes Currypulver
100 g Mayonnaise
100 g Magermilchjoghurt
Öl zum Braten
Außerdem
Schaschlikspieße

- Die Paprikaschoten waschen, vierteln, Samen und Scheidewände entfernen. Die Viertel in zwei Zentimeter große Würfel schneiden. Die Zwiebeln schälen und achteln. Den Tofu in Würfel schneiden, die Zutaten abwechselnd auf sechs Spieße stecken und rundherum mit Salz, Pfeffer und Paprikapulver würzen.

- Für den Dip den Orangensaft mit dem Currypulver glatt rühren. Mayonnaise und Joghurt unterrühren und mit Salz und Pfeffer würzen. Die Tofuspieße im heißen Öl rundherum 4–6 Minuten braten und mit dem Currydip servieren.

Tipp: Dieser Snack lässt sich prima vorbereiten und bis zum Braten der Spieße abgedeckt kalt stellen.

Gemüsemuffins

Cheddarkäse, Paprika und Erbsen geben den saftigen Törtchen ihr Aroma.

Zubereitung: 50 Minuten
Für 12 Stück

Zutaten

60 g tiefgekühlte Erbsen
Salz
1 rote Paprikaschote
150 g Butter
1 Ei (Größe M)
6 EL Milch
100 g Cheddar, frisch gerieben | 250 g Mehl
1 Päckchen Backpulver
Cayennepfeffer
Außerdem
Fett für die Muffinform

- Die unaufgetauten Erbsen 2 Minuten in sprudelnd kochendem Salzwasser blanchieren, in ein Sieb abgießen, kalt abschrecken und abkühlen lassen. Die Paprikaschote waschen, vierteln, Samen und Scheidewände entfernen. Die Viertel in ein Zentimeter große Würfel schneiden. Die Butter zerlassen und lauwarm abkühlen lassen. Den Backofen auf 200 °C vorheizen.

- Das Ei verquirlen, Butter und Milch unterrühren. Erbsen, Paprikawürfel und Cheddar unterheben. Mehl, Backpulver, Salz und Cayennepfeffer mischen, darübersieben und schnell zu einem glatten Teig verrühren.

- Den Teig in die gefetteten Mulden einer Muffinform verteilen. Im heißen Ofen auf der zweiten Schiene von unten 20–25 Minuten backen.

Variante: Probieren Sie auch einmal **Pilzmuffins**: Dazu 300 Gramm gehackte Champignons mit einer gewürfelten Zwiebel in drei Esslöffeln Öl braten, bis alle Flüssigkeit verdampft ist. Lauwarm unter den Teig heben.

Mini-Rucola-Pizzas mit Parmesan

Die herzhaften Pizzas schmecken lauwarm am besten.

Zubereitung: 50 Minuten
Für 6 Stück

Zutaten

200 g Kartoffeln
1 Bund Rucola
400 g Pizzateig aus dem Kühlregal (1 Rolle)
2 Zwiebeln | 2 EL Öl
1–2 Knoblauchzehen
1 Dose Pizzatomaten (420 g)
2 Mozzarella (je 125 g)
Salz | Pfeffer | Chilipulver
60 g Parmesan am Stück

▮ Zwiebeln und Knoblauch schälen und fein würfeln. Das Öl erhitzen und beides darin glasig braten. Die Tomaten zugeben und offen bei mittlerer Hitze dicklich einkochen lassen. Inzwischen den Mozzarella abtropfen lassen und in Scheiben schneiden. Den Backofen auf 250 °C vorheizen.

▮ Den Pizzateig entrollen und sechs Kreise mit zehn Zentimeter Durchmesser ausstechen. Auf ein mit Backpapier belegtes Backblech legen. Den Tomatensugo mit Salz, Pfeffer und Chilipulver würzen und lauwarm auf dem Teig verteilen. Mit Mozzarella belegen und im heißen Ofen auf der untersten Schiene 10–12 Minuten backen.

▮ Den Rucola waschen, trocken schleudern und kleiner zupfen. Den Parmesan mit einem Sparschäler in dünne Scheiben hobeln und mit dem Rucola auf den gebackenen Pizzas verteilen.

Gemüsechips mit Joghurtmayonnaise

Ihre Fernsehabende werden nie mehr so fad sein wie früher!

Zubereitung: 50 Minuten
Für 6–8 Portionen

Zutaten

200 g Karotten
200 g Knollensellerie
abgeriebene Schale von 1 Bio-Limette
2 EL Limettensaft
100 g Mayonnaise
100 g Sahnejoghurt
1 EL Schnittlauchröllchen
1 Knoblauchzehe
Salz | Pfeffer
Cayennepfeffer
1 Bund krause Petersilie
Außerdem
Öl zum Frittieren

▮ Die Limettenschale mit Limettensaft, Mayonnaise, Joghurt und Schnittlauch verrühren. Den Knoblauch schälen und dazupressen. Mit Salz, Pfeffer und Cayennepfeffer würzen.

▮ Kartoffeln, Karotten und Sellerie schälen und sehr fein direkt in kaltes Wasser hobeln. Die Petersilie waschen, trocken schütteln und die Blätter abzupfen. Die Gemüsescheiben in ein Sieb abgießen und mit einem Küchentuch trocken tupfen.

▮ Das Öl am besten in einer Fritteuse auf 180 °C erhitzen. Die Gemüsechips portionsweise jeweils in 3–4 Minuten knusprig ausbacken (Die Petersilie nur ½ Minute frittieren). Alles auf Küchenpapier entfetten, gut salzen und mit der Mayonnaise servieren.

Gefülltes Baguette mit Paprika-Frischkäse-Creme

Der ganz einfache Partysnack: krosses Baguette mit pikanter Chilicreme – außerdem blitzschnell zubereitet für spontanen Besuch.

Zubereitung: 15 Minuten
Für 12 Scheiben

Zutaten

1 Baguette (500 g)
300 g Doppelrahm-frischkäse
1 TL süßes Paprikapulver
½ TL scharfes Paprika-pulver
6 EL Milch
Salz | Pfeffer
2 rote Zwiebeln
Chilifäden

▪ Das Baguette in zwölf Scheiben schneiden und etwas Brotkrume herauszupfen. Den Frischkäse, beide Sorten Paprikapulver, Milch, Salz und Pfeffer mit den Quirlen des Handrührgeräts glatt rühren. Zwiebeln schälen, vierteln und in dünne Streifen schneiden.

▪ Die Zwiebelstreifen (bis auf einen Esslöffel) unter die Creme rühren. Jeweils einen Esslöffel Creme auf jede Baguettescheibe geben und mit den restlichen Zwiebelstreifen und ein paar Chilifäden bestreuen.

Tipp: Anstelle von Chilifäden können Sie auch etwas **Chilipulver** verwenden.

Zucchinispieße in Tempuramehl gebacken

Diese feinen Spieße sollten am besten sofort serviert werden.

Zubereitung: 30 Minuten
Für 6 Spieße

Zutaten

500 g Zucchini
Salz
frisch gemahlener Pfeffer
100 g Tempuramehl (Asienladen)
Außerdem
6 Schaschlikspieße
Öl zum Frittieren
Sojasauce zum Servieren

▪ Die Zucchini putzen, waschen, trocken tupfen und in 24 Würfel schneiden. Jeweils vier Würfel auf einen Spieß stecken und rundherum mit Salz und Pfeffer würzen. Das Tempuramehl mit 150 Milliliter eiskaltem Wasser verrühren.

▪ In der Fritteuse oder in einem Topf reichlich Öl auf 180 °C erhitzen. Die Spieße portionsweise durch den Teig ziehen und sofort im heißen Öl in 3–4 Minuten ausbacken. Auf Küchenpapier entfetten und mit der Sojasauce servieren.

Tipp: Auch **Champignons**, **Paprikaschoten** und **Auberginen** eignen sich prima zum Ausbacken in Tempuramehl.

Gefüllte Tomaten mit Brunnenkressecreme

Fruchtige Tomate mit scharfer Kressecreme, ein tolles Rezept für eine große Runde!

Zubereitung: 15 Minuten
Für 24 Stück

Zutaten

24 kleine Strauchtomaten
Salz | Pfeffer
200 g Doppelrahm-frischkäse
80 g weiche Butter
½ Bund Brunnenkresse
abgeriebene Schale von 1 Bio-Zitrone
2 EL Zitronensaft

▌Die Tomaten waschen. Den Deckel mit dem Stielansatz abschneiden. Das Fruchtfleisch mit einem Teelöffel herauslösen und durch ein Sieb streichen, sodass die Kerne entfernt werden. Die Tomaten innen mit Salz und Pfeffer würzen, das Fruchtfleisch mit dem Frischkäse und der Butter glatt rühren.

▌Die Brunnenkresse waschen und trocken schütteln, die Blätter mit einer Schere von den Stielen schneiden und grob hacken. Zum Frischkäse geben und alles fein pürieren. Mit Zitronenschale und -saft, Salz und Pfeffer würzen. Die Tomaten mit Küchenpapier trocken tupfen.

▌Die Creme in einen Spritzbeutel füllen und gleichmäßig in die Tomaten spritzen. Für etwa 30 Minuten kalt stellen. Vor dem Servieren die Deckel wieder aufsetzen oder anlegen. Tomaten in kleinen Förmchen oder Muffin-Papierförmchen servieren.

Kirschtomaten mit Wasabicreme

Diese asiatisch-pikante Variante müssen Sie probieren!

Zubereitung: 20 Minuten
Kühlen: 30 Minuten
Für 24 Stück

Zutaten

24 kleine Strauchtomate
Salz | Pfeffer
100 g Frischkäse
100 g Magerquark
3–4 TL Wasabipaste
2–3 TL Limettensaft

▌Die Tomaten waschen. Den Deckel mit dem Stielansatz abschneiden. Das Fruchtfleisch mit einem Teelöffel herauslösen und durch ein Sieb streichen, sodass die Kerne entfernt werden. Die Tomaten innen mit Salz und Pfeffer würzen.

▌Das Tomatenfruchtfleisch mit dem Frischkäse und dem Quark glatt rühren. Wasabipaste, Limettensaft und Salz unter die Creme rühren. Die Creme in einen Spritzbeutel geben und die Tomaten damit füllen. Für etwa 30 Minuten kalt stellen. Vor dem Servieren die Deckel wieder aufsetzen oder anlegen.

Süßes Finale

Süße Verführungen ... lauern überall, aber die selbst gemachten Kleinigkeiten sind immer noch die besten.

Freuen Sie sich auf das süße Finale mit *vielen kleinen Sünden* von Profiteroles über Mini-Berliner bis zu Eiskonfekt mit Prosecco und Espressoparfait aus dem Tässchen.

Und die schmecken nicht nur als Abschluss einer Party, sondern *auch zum Nachmittagskaffee* und im Büro.

Gefüllte Clementinen

Die fruchtige Mousse mit dem leicht herben Aroma lässt sich prima vorbereiten.

Zubereitung: 40 Minuten
Kühlen: 2 Stunden
Für 4 Stück

Zutaten

4 große Clementinen (am besten mit Stiel)
3 Blatt weiße Gelatine
3 Eigelb
30 g Zucker
100 ml Orangensaft
200 ml Sahne

- Die Clementinen waschen. Oben einen Deckel abschneiden und beiseitelegen. Das Fruchtfleisch herauskratzen und ohne die Kerne pürieren. Die Gelatine in kaltem Wasser einweichen. Die Eigelbe mit dem Zucker schaumig aufschlagen. Den Orangensaft erwärmen und die ausgedrückte Gelatine darin auflösen. Unter den Eigelbschaum rühren und für etwa 10 Minuten kalt stellen.
- Wenn die Creme zu gelieren beginnt, die Sahne steif schlagen und unter die Creme heben. In einen Spritzbeutel mit großer Tülle füllen und die Creme bis zum Rand in die Clementinen spritzen. Die übrige Creme in eine Schüssel füllen und beides für mindestens 2 Stunden kalt stellen.
- Aus der restlichen Creme Nocken abstechen und vor dem Servieren auf die Clementinen geben. Die Deckel anlegen und die Clementinen servieren.

Variante: Zu den gefüllten Clementinen passt ein feines **Orangenragout**. Dafür 3 Bio-Orangen so schälen, dass die weiße Haut vollständig entfernt wird. Die Fruchtfilets zwischen den Häuten herausschneiden. 150 Milliliter Maracujasaft mit 50 Gramm Zucker aufkochen. Ein Teelöffel Speisestärke mit etwas kaltem Wasser glatt rühren und den gesüßten Maracujasaft damit binden. Die Orangenfilets unterrühren und das Ganze kalt stellen. Gut gekühlt zu den gefüllten Clementinen servieren.

Tipp: Wenn Sie ein Halbgefrorenes anbieten möchten, geben Sie die gefüllten Clementinen etwa 2 Stunden vor dem Servieren ins Tiefkühlfach.

Profiteroles mit Vanillecreme

Servieren Sie zu diesen cremigen Teilchen am besten ein Glas Prosecco.

Zubereitung: 1 Stunde
Für 24 Stück

Zutaten

Für den Brandteig
70 g Butter
1 TL Zucker
Salz
150 g Mehl
4 Eier

Für die Füllung
300 ml Sahne
1 EL Zucker
1 Päckchen Bourbon-Vanillezucker

Außerdem
2–3 EL Puderzucker zum Bestäuben

- Für den Teig Butter, Zucker und eine Prise Salz mit 250 Milliliter Wasser in einem Topf aufkochen. Das Mehl sieben und auf einmal dazugeben. Mit einem Holzlöffel so lange rühren, bis sich der Teig als Kloß vom Topfboden löst.

- Den Teig in eine Rührschüssel geben und die Eier nacheinander mit den Knethaken des Handrührgeräts unterkneten. Den Backofen auf 200 °C vorheizen.

- Den Teig in einen Spritzbeutel mit großer Sterntülle füllen und 24 Tupfen auf ein mit Backpapier ausgelegtes Backblech spritzen, dabei jeweils fünf Zentimeter Abstand lassen.

- Die Profiteroles im heißen Ofen auf der zweiten Schiene von unten etwa 20 Minuten backen. Das Blech herausnehmen und die Windbeutel sofort quer halbieren, damit der Dampf entweichen kann. Die Hälften auf einem Kuchengitter auskühlen lassen.

- Für die Füllung die Sahne mit Zucker und Vanillezucker steif schlagen, in einen Spritzbeutel mit großer Sterntülle füllen und dicke Tupfen auf die unteren Hälften spritzen. Die Oberteile daraufsetzen und großzügig mit Puderzucker bestäuben. Gleich servieren.

Tipp: Brandteiggebäck immer erst kurz vor dem Servieren füllen, es weicht sonst leicht durch und ist dann nicht mehr knusprig.

Mandel-Baiser-Tupfen

Zuckersüßer Schaumkuss mit Kakaopuder.

Zubereitung: 20 Minuten
Trocknen: 3 Stunden
Für 36 Stück

Zutaten

30 g gemahlene Mandeln
3 Eiweiß
90 g Puderzucker
20 g Kakaopulver zum Bestäuben

- Die gemahlenen Mandeln in einer Pfanne ohne Fett goldbraun rösten und abkühlen lassen.
- Die Eiweiße mit den Quirlen des Handrührgeräts schaumig schlagen, den Puderzucker dabei nach und nach einrieseln lassen und alles zu einem festen Schnee schlagen. Die gerösteten Mandeln unterheben.
- Zwei Backbleche mit Backpapier auslegen. Den Backofen auf 100 °C vorheizen. Die Baisermasse in einen Spritzbeutel mit glatter Tülle füllen und 36 Eischneetupfen auf die Bleche spritzen. Die Baisers im heißen Ofen auf der zweiten Schiene von unten bei leicht geöffneter Backofentür 3 Stunden trocknen. Die Baisertupfen vor dem Servieren mit dem Kakaopulver bestäuben.

Mini-Berliner mit Kirschkonfitüre

Luftiger Hefeteig mit fruchtiger Füllung.

Zubereitung: 1 Stunde
Aufgehen: 1 Stunde
Für 12 Stück

Zutaten

20 g frische Hefe
50 ml lauwarme Milch
250 g Mehl
1 Ei
1 Eigelb
80 g Zucker
15 g weiche Butter
1 l Rapsöl zum Frittieren
200 g Kirschkonfitüre

- Die Hefe zerbröseln und mit der lauwarmen Milch in einer Schüssel unter Rühren auflösen. 75 Gramm Mehl zugeben und die Zutaten zu einem glatten Vorteig verkneten. Zugedeckt an einem warmen Ort 20 Minuten gehen lassen.
- Ei, Eigelb und 30 Gramm Zucker schaumig rühren, restliches Mehl darübersieben. Vorteig und Butter zugeben und zu einem glatten Teig verkneten. Zugedeckt an einem warmen Ort 20 Minuten gehen lassen.
- Ein Küchentuch mit Mehl bestäuben. Aus dem Teig zwölf kleine Kugeln formen, auf das Tuch legen und mit einem zweiten Tuch abdecken. Die Teigkugeln gehen lassen, bis sich ihr Volumen verdoppelt hat.
- Das Öl in einem großen Topf oder einer Fritteuse auf 170 °C erhitzen. Die Teigkugeln darin in zwei bis drei Portionen auf jeder Seite in 1–2 Minuten goldbraun frittieren, dabei einmal wenden. Auf Küchenpapier entfetten. Die Kirschkonfitüre aufkochen, durch ein Sieb streichen, in einen Spritzbeutel mit kleiner Lochtülle geben und in die Krapfen füllen. Noch heiß im übrigen Zucker wälzen und servieren.

Eiskonfekt mit Prosecco

Unter der knackigen Schokolade verbirgt sich ein zarter Eisschmelz.

Zubereitung: 1 Stunde
Kühlen: mindestens 5 Stunden
Für etwa 100 Stück

Zutaten

3 Blatt weiße Gelatine
2 Eigelb
2 Eier
100 g Zucker
150 ml Prosecco oder Sekt
200 ml Sahne
200 g Zartbitterkuchenglasur (gekauft oder selbst gemacht, siehe Variante)
3–4 TL Zuckerperlen

- Die Gelatine in kaltem Wasser einweichen. Die Eigelbe mit den Eiern, dem Zucker und dem Prosecco oder Sekt über dem heißen Wasserbad zu einer dicklichen Creme aufschlagen. Die ausgedrückte Gelatine unterrühren und die Creme für etwa 20 Minuten kalt stellen.

- Wenn die Creme zu gelieren beginnt, die Sahne steif schlagen und unterheben. Die Creme in eine Form (etwa 20 × 20 Zentimeter) etwa zwei Zentimeter hoch einfüllen und für mindestens 5 Stunden, am besten über Nacht, in das Tiefkühlfach stellen.

- Die Kuchenglasur nach Packungsangabe schmelzen oder nach dem Rezept unten zubereiten. Das Eis in zwei Zentimeter große Würfel schneiden, die Würfel mit einer Pralinengabel in die Glasur tauchen, auf ein Kuchengitter setzen und abtropfen lassen. Mit den Zuckerperlen bestreuen und bis zum Servieren wieder einfrieren.

Tipp: Die Konfektwürfel am besten nebeneinander in einer Gefrierbox aufbewahren, dann entstehen keine Druckstellen.

Variante: Sie möchten das Eiskonfekt statt mit Kuchenglasur mit echter **Kuvertüre** überziehen? Kein Problem, Sie müssen nur Folgendes beachten. Damit Kuvertüre so schön glänzt wie die Glasur und nicht stumpf wird, sollten Sie sie temperieren: 250 g Zartbitterkuvertüre hacken und über dem Wasserbad schmelzen. Die Kuvertüre sollte eine Temperatur von 35 °C erreichen. Anschließend unter Rühren wieder abkühlen lassen, etwa auf 26 °C, bis sie wieder anzieht. Dann erneut auf 35 °C erwärmen und die Eiswürfel mit einer Pralinengabel hineintauchen.

Espressoparfait

Herrlich sahniger Eisgenuss, der auch müde Geister weckt.

Zubereitung: 40 Minuten
Gefrieren: 2 Stunden
Für 6 Tassen

Zutaten

150 ml heißer Espresso
40 g Puderzucker
3 Eigelb
40 g Zartbitterschokolade
100 ml Sahne

- Den heißen Espresso mit dem Puderzucker verrühren. Diese Mischung mit den Eigelben in einer Metallschüssel über dem heißen Wasserbad dickcremig aufschlagen. Die Schokolade klein hacken, über dem heißen Wasserbad schmelzen und unter die Espressocreme rühren. Die Mischung etwa 10 Minuten im Kühlschrank abkühlen lassen.

- Inzwischen die Sahne steif schlagen. Gleichmäßig unter die Creme ziehen. Die Masse in sechs kalt ausgespülte Espressotassen füllen und 2 Stunden gefrieren lassen. Vor dem Servieren etwa 20 Minuten im Kühlschrank antauen lassen.

Tipp: Sie können nach etwa einer Stunde Gefrierzeit eine Keksstange in das Parfait stecken und es dann als Eis am Stiel servieren. Danach nochmals eine Stunde einfrieren.

Beerengrütze mit Vanillejoghurt

Eine raffinierte Sommerkombi, die toll aussieht und ganz leicht gelingt.

Zubereitung: 20 Minuten
Für 6 Gläser

Zutaten

300 g gemischte tiefgekühlte Beeren
40 g Zucker
300 ml Kirschsaft
1 EL Speisestärke
250 g Sahnejoghurt
2 Päckchen Bourbon-Vanillezucker
1 EL Zitronensaft

- Den Zucker in einem Topf goldbraun karamellisieren lassen. 100 Milliliter Kischsaft mit der Speisestärke glatt rühren. Den restlichen Saft vorsichtig zum Karamell gießen und 3–5 Minuten loskochen. Mit der angerührten Stärke binden und einmal zum Kochen bringen.

- Die unaufgetauten Beeren dazugeben und alles nochmals aufkochen. Anschließend abkühlen lassen. Die Grütze auf schöne Cocktailgläser verteilen und kalt stellen. Den Joghurt mit Vanillezucker und Zitronensaft glatt rühren und vor dem Servieren auf die Grütze geben.

Heidelbeermuffins

Saftig und gut – das feine Gebäck lässt sich am Abend vorher vorbereiten und für die Bürofeier mitnehmen.

Zubereitung: 30 Minuten
Backen: 20–25 Minuten
Für 12 Stück

Zutaten

150 g frische Heidelbeeren
200 ml Milch
2 Eier
125 g flüssige Butter
120 g Zucker
170 g Mehl
½ Päckchen Backpulver
Zimt

Außerdem
Papierförmchen
100 g Vanilleglasur (Fertigprodukt)
20 g Schokoperlen

- Milch, Eier, flüssige Butter und Zucker in einer Schüssel verquirlen. Mehl, Backpulver und eine Prise Zimt vermischen. Auf die flüssigen Zutaten sieben und gleichmäßig unterrühren. Die Heidelbeeren waschen, trocken tupfen und vorsichtig unter den Teig heben.

- Den Backofen auf 180 °C vorheizen. In die Mulden einer Muffinform Papierförmchen setzen. Den Teig einfüllen und die Muffins im heißen Ofen auf der zweiten Schiene von unten 20–25 Minuten backen.

- Die Muffins auf einem Kuchengitter abkühlen lassen. Die Vanilleglasur nach Packungsangabe schmelzen und die Muffins damit glasieren. Mit den Schokoperlen bestreuen.

Tipp: Außerhalb der Saison können Sie auch tiefgekühlte Heidelbeeren verwenden. Diese unaufgetaut unter den Teig heben.

Apfelstrudelbonbons

Ein wahrhaft großer österreichischer Klassiker im Miniformat. Die Bonbons schmecken wunderbar zu Latte macchiato.

Zubereitung: 30 Minuten
Backen: 12–15 Minuten
Für 12 Stück

Zutaten

2 säuerliche Äpfel
2–3 EL Zitronensaft
30 g Sultaninen
30 g Mandelstifte
2 EL Zucker
1 Messerspitze Zimt
3 Filoteigblätter (30 × 31 cm)
100 g Aprikosenkonfitüre
30 g gehackte Pistazien

- Die Äpfel schälen, vierteln, vom Kerngehäuse befreien und in kleine Würfel schneiden. Mit Zitronensaft, Sultaninen, Mandelstiften, Zucker und Zimt in einer Schüssel mischen.
- Die Teigblätter vierteln. Je einen Esslöffel von der Füllung auf die Längsseite jedes Teigblattes geben, die Teigblätter aufrollen und die Enden wie Bonbons zusammendrehen. Den Backofen auf 200 °C vorheizen.
- Die Bonbons auf ein mit Backpapier belegtes Backblech legen und im heißen Ofen auf der zweiten Schiene von unten 12–15 Minuten backen. Inzwischen die Aprikosenkonfitüre in einem Topf bei mittlerer Hitze flüssig werden lassen.
- Die Gebäckstücke noch heiß mit der Konfitüre bestreichen und mit den gehackten Pistazien bestreuen.

Tipp: Die Apfelstrudelbonbons können Sie in Dosen zwischen Butterbrotpapier zwei bis drei Tage aufheben.

Rhabarber-Tartelettes mit Baiser

Süßsaure sommerliche Liaison: Das Kompott ist unter der Haube.

Zubereitung: 30 Minuten
Backen: 20–25 Minuten
Für 12 Stück

Zutaten

Für das Kompott
250 g Rhabarber
30 g Zucker
100 ml Rote-Johannisbeer-Saft
10 g Speisestärke

Für das Baiser
2 Eiweiß
60 g Zucker

Außerdem
12 Mini-Mürbeteig-Tartelettes

- Für das Kompott den Rhabarber putzen, waschen und in ein Zentimeter lange Stücke schneiden. Den Zucker untermischen und 10 Minuten ziehen lassen. Mit dem Johannisbeersaft in einen Topf geben, aufkochen und bei geringer Hitze unter Rühren 5 Minuten kochen lassen.

- Die Speisestärke mit etwas kaltem Wasser glatt rühren und unter das Kompott mischen. Einmal aufkochen und abkühlen lassen. Die Tartelettes nebeneinander auf ein Backblech setzen. Für das Baiser die Eiweiße steif schlagen, dabei den Zucker nach und nach einrieseln lassen. Den Backofen auf 200 °C vorheizen.

- Das abgekühlte Kompott auf den Tartelettes verteilen, den Eischnee mithilfe eines Spritzbeutels wolkenartig daraufgeben. Die Tartelettes im heißen Ofen auf der zweiten Schiene von unten etwa 5 Minuten hellbraun backen. Vorsicht: Der Eischnee bräunt sehr schnell! Tartelettes aus dem Ofen nehmen und auf einem Kuchengitter auskühlen lassen.

Variante: Außerhalb der Rhabarbersaison können Sie auch ein anderes Kompott verwenden. Allerdings sollten Sie säuerliche Früchte wählen.

Tipp: Sie können das Baiser auch mit einem Flambierbrenner wie für Crème brulée flämmen.

Blätterteigpasteten mit Pflaumenmus

Wer sagt, dass Pasteten immer herzhaft sein müssen? So schmecken sie auch wunderbar.

Zubereitung: 45 Minuten
Backen: 10–12 Minuten
Für 12 Stück

Zutaten

6 tiefgekühlte Blätterteigplatten (12 × 12 cm)
200 g Pflaumenmus
200 ml Sahne
1 Päckchen Bourbon-Vanillezucker
2 EL Zucker
1 Messerspitze Zimt
3 Stängel Minze

▮ Die Blätterteigplatten nebeneinanderlegen und nach Packungsangabe auftauen lassen. Die Teigplatten vierteln. Aus zwölf Teigplatten jeweils ein Quadrat herausschneiden, dabei einen 5 Millimeter breiten Rand stehen lassen (ausgestochene Quadrate anderweitig verwenden).

▮ Den Backofen auf 200 °C vorheizen. Die ganzen Teigquadrate auf ein mit Backpapier belegtes Backblech legen. Die Teigquadrate mit Ausschnitt darauflegen und leicht andrücken. Im heißen Ofen auf der zweiten Schiene von unten 12–14 Minuten goldbraun backen.

▮ Die Pasteten mit dem Backpapier vom Blech ziehen und abkühlen lassen. Das Pflaumenmus glatt rühren und in die Mitte füllen. Die Sahne mit dem Vanillezucker steif schlagen, in einen Spritzbeutel mit Sterntülle füllen und auf das Pflaumenmus spritzen. Zucker und Zimt verrühren und die Sahnetupfer damit bestreuen. Die Minze waschen und trocken schütteln, kleine Blättchen abzupfen. Die Sahnetupfer mit den Minzeblättchen garnieren.

Tipp: Blätterteigreste kann man unbedenklich wieder einfrieren, dazu dürfen sie allerdings nicht verknetet, sondern nur aufeinandergelegt werden.

Eric Menchon